なぜか結果を出す人が勉強以前にやっていること

［著者］チームドラゴン桜
TEAM DRAGON ZAKURA

東洋経済新報社

はじめに

「リアルドラゴン桜」を生み続けてわかった！
結果は「勉強を始める前の準備」で決まる

みなさん、**自分に合った努力**、できていますか？

受験や資格試験の勉強、仕事を覚えるときや新しい学問に触れるときなど、みなさんは一生のうち多くの時間を「勉強」に捧げていると思います。

でも、そんなに勉強している人でも、実はあまり、**自分にマッチした勉強法を実践できていないこと**がありあます。

僕たちから見ると、多くの人は、**自分のサイズに合っていない服を着ているかのように、不格好な勉強**をしています。「自分に合った努力」ができていないのです。

逆に、さまざまなことで結果を出している人は、**自分に合った勉強法を「オーダーメイド」でつくっています。**勉強を始める「以前」に、自分に合った勉強法を準備する――だから**「自分に合った努力」が続けられて、苦労せずとも結果が出る**のです。

「リアルドラゴン桜」を輩出する「勉強法のスペシャリスト集団」

僕たちがどうしてこのように考えているのかを伝えるためには、まずは僕たちの自己紹介をしなければなりません。

僕たち「チームドラゴン桜」は、漫画『ドラゴン桜2』(三田紀房著、講談社)の制作・情報提供のために発足した、**「勉強法研究のスペシャリスト集団」**です。現役東大生や有名予備校講師、大学の准教授など、多くの人材が集結して、次のようなことをしています。

- 東大生300人以上にアンケートを実施し、彼ら彼女らの勉強の仕方、使っていた参考書、生活習慣、目標達成のための試行錯誤の仕方などのデータを収集
- 彼らに細かくインタビューして、大学の教育学部の先生からも意見を聞きながら分析

- 分析結果をもとに、全国の学校現場で「リアルドラゴン桜プロジェクト」を実施、学生からの生の意見を収集
- これらのことを、東洋経済オンラインをはじめとするネットメディアや書籍で公開

代表は、現役東大生作家であり、『ドラゴン桜2』の編集協力をしていた西岡壱誠です。**彼は高校3年生の時点では偏差値35だったにもかかわらず、そこから逆転合格した、まさに「リアルドラゴン桜」**な人物です。

さらに僕たちは、次の「リアルドラゴン桜」を輩出するべく、**さまざまな高校で勉強法の指導**もしています。

僕たちの活動からは実際に、**高校3年生のときに数学が0点だったところから東大に合格した人や、高校3年生のときに勉強時間がほぼ0だったところから東大に合格した人**など、数多くの「リアルドラゴン桜」が生まれています。

2023年度の大学入試では、僕たちは**タレント・小倉優子さんの大学受験をサポート**しました。

「考える技術」と「地頭力」がいっきに身につく
東大思考

「東大生は、なんで頭がいいの?」という問いに対する答えとして、偏差値35から東大に合格した著者が、どんな人でも「東大生の頭のよさ」を再現できる「5つの技術」を紹介した1冊です。
西岡壱誠著、東洋経済新報社

MBSテレビ『月曜の蛙、大海を知る。』の企画で、「シングルマザーで子どもを3人育てながらタレント活動をする小倉優子さんが、大学合格を目指す」というプロジェクトをお手伝いさせていただいたのです。

僕たち「チームドラゴン桜」が総出で、さまざまな科目を分担しながら支援しました。その結果、第1志望の早稲田大学にこそ合格できなかったものの、学習院女子大学補欠合格・白百合女子大学合格を勝ち取ることができました。

小倉さんの多忙さや当初の学力を思えば、この合格も立派な「リアルドラゴン桜」と言える奇跡です。

「自分に合った勉強法」がわかれば結果は自然についてくる

なぜ、このような逆転合格が可能なのか？　それは、勉強「以前」に、ある工夫をしていたからです。その工夫こそ、自分に合った勉強法、努力の仕方を、オーダーメイドでつくるということにほかなりません。

勉強がそもそも嫌いな人は、無理に勉強を好きになる必要はありません。嫌いなら、

嫌いなりの努力の仕方があります。

時間のない人は、無理に時間を捻出する必要はありません。**時間のない人なりの努力の仕方**があります。

勉強法が先にあって、その**勉強法に合わせて自分を変える必要は、ありません。**

自分が先にあって、**自分に合わせた勉強法**をオーダーメイドでつくっていくほうが、**圧倒的に効果があるの**です。

どんな人でも、勉強「以前」の準備で努力の仕方を変えることによって、結果を出すことができるようになるのです。

この本では、**自分だけのオーダーメイドの勉強法で、結果を出せる方法**をレクチャーします。

勉強嫌いでも、時間がなくても、忘れっぽい人でも、飽きっぽい人でも、どんな人でも自分にマッチした勉強法が見つかる――その方法を解説していきます。

この本を読み終えたみなさんが、自分だけの勉強法を見つけ、**「最短・最速で最高の結果」**を出せるように祈っています。

「学ぶ力」と「地頭力」がいっきに身につく
東大独学

偏差値35からの東大合格を支えた「学びの王道」を描いた1冊。東大生たちは、どんなふうに独学しているから、学ぶ速度が速いのか？　その秘訣を解説しています。
西岡壱誠著、東洋経済新報社

目次

はじめに

PART 1
「好き×苦手」の勉強法

PART 3
「嫌い×得意」の勉強法

「面倒くさがり」でOK！「タイパ最大化」の4STEPで「最小の時間」で「最大の効果」をゲットする

STEP 1

メリハリをつける

STEP 2

「逆算思考」で考える

PART 4
「地頭」がよくなる習慣

PART 5
努力を続ける習慣

本書は、東洋経済オンラインの人気連載「生まれつきの才能は不要　東大『逆転合格』の作法」に大幅な加筆・修正を加え、再構成したものです。

INTRODUCTION

勉強嫌いでも時間がなくてもOK!

「マトリクス」を書けば「自分に合った勉強法」がかならず見つかる

「頑張ってもなかなか結果につながらない」人が陥る罠

さて、そもそも、**なぜ多くの人は「自分に合った努力」ができないのでしょうか？** そのいちばんの原因は、**「自分のことをよく理解できていないから」**です。

桜木先生は、こんなセリフを残しています。

「東大合格秘訣の第一条は……まず『己を知る』ことだ！ 自分の力を知ろうとしないヤツに東大合格はないっ！」

これって、たしかにそうなんです。

多くの人は、自分は何が得意で、何が苦手で、どんなふうに努力すれば結果が出て、どんなふうに時間をかけるとうまくいかないのか、そういうことがわかっていません。だから、**「努力しても結果の出ない、ムダな努力」**をしてしまっているのです。

実際、自分の「つもり」と客観的なデータがズレているなんて

自分の力を
知ろうとしないヤツに
東大合格はないっ！
『ドラゴン桜2』2巻・10限目「東大合格第一条『己を知る』」

ことは、ごく普通にあります。

たとえば、テストを受けてみたら、自分が「得意だ！」と考えている分野の成績が**意外と低かったり、自分が「苦手だ……」と思っている部分が意外とできていたりすることがあります。**

他の人に、「自分の強みはこれだ」と話したときに、「え？　君ってそんな人間だっけ？　もっとこっちのほうが強みな気がするけど」と言われることもあるわけです。

人間というのはこんなふうに、**主観と客観があべこべになる場合が多い生き物なんです。**

だから最小の努力で最大の結果を出す人は、この主観と客観を合わせる調整をしています。本当に得意なのか？　本当に苦手なのか？　それを正しく把握できるように、**勉強を始める前に確認している**のです。

マトリクスで整理すれば「自分に合った勉強法」がわかる

本書では、自分の強みと弱みを正しく理解して、それぞれについて「結果の出る努力」がわかる、そんな方法論を紹介します。

そこで使うのが、下の漫画で紹介しているマトリクスです。**勉強「以前」に、自分がどのように努力すれば結果が出るのか、しっかりとマトリクスで整理することで、**結果につながりやすくするのです。それこそが、本書のタイトルでもある**「なぜか結果を出す人が勉強以前にやっていること」**なのです。

マトリクスの使い方は、次の3STEPです。

※マトリクスの横軸は、原作では「できた／できなかった」でしたが、本書では「好き／嫌い」に変更しています。
『ドラゴン桜2』2巻・15限目「完全な失敗」

STEP1：縦に「得意」と「苦手」、横に「好き」と「嫌い」と書いたマトリクスをつくる

STEP2：そこに、自分がいまから自己分析したいことを書き込んでいく

たとえば「数学」が「好きだと思っているけれど、この前のテストではダメだった」のなら、「好き」「苦手」、「プレゼン」が「嫌いだと思っているけれどこの前のプレゼンはうまくいった」のなら「嫌い」「得意」というふうに、自己分析を書き込んでいきましょう。

STEP3：シートを完成させて、「好き」「嫌い」「得意」「苦手」という主観と客観を見える化する

このマトリクスにおいて、「好き」「嫌い」は、主観的な感情を示しています。「自分は数学が好き」「自分は人前で話すのが嫌い」というように、自分の感情を明確にするのがスタートです。

それに対して、「得意」「苦手」は、客観的なデータを示しています。「自分は数学が苦手」「自分は人前で話すのが得意」と、自分以外の人がどう考えているか、データの上ではどう出ているのかを把握しましょう。

こうして、あなたが勉強すべき内容を

- 好き×得意
- 好き×苦手
- 嫌い×得意
- 嫌い×苦手

の4つに分類してください。

まずはともかく、「見えるようにする」のが重要です。

この4つでは「正しい勉強法」が違う！

なぜ「見えるようにする」必要があるかというと、**この4つでは、「どう対策するのが正しいか」、その勉強法が異なるからです。**

たとえば、「好き×苦手」なことに向いている勉強法で「嫌い×苦手」な分野に挑むと、やり抜くことが難しくなり、三日坊主になってしまいます。

「嫌い×得意」なことに向いている勉強法で「好き×苦手」な分野に挑むと、いくら勉強しても結果に結びつかない「ムダな努力」を重ねることになってしまうのです。

マトリクスで自分の「好き・嫌い」「得意・苦手」を整理することで、**「自分にとって、この分野を勉強するときに最適な勉強法は何か」を明確にすることができるわけ**です。

では、具体的に、それぞれの象限ではどんな勉強法が向いているのでしょうか。

まず、「好き×得意」なものは、対策する必要がありませんね。それ以外のところにある、**「嫌い」だったり「苦手」だったりするものを、しっかり「好き」で「得意」に持っていくようにしなければならない**のです。

本書では、それぞれの象限について向いている勉強法を、1つずつ解説しています。

ドラゴン桜

「一発逆転」の育て方

「普通の子」は、なぜ頑張れたのか。「一発逆転」した東大生10名の親御さんが、どのように子どもを育てていたのかを解説した1冊です。一発逆転の「リアルドラゴン桜」は、どのように生まれたのでしょうか？

「一発逆転」プロジェクト ＆ 東大カルペ・ディエム著、プレジデント社

PART 1
「好き×苦手」の勉強法

頑張らないでOK!
「目的・目標のブレイクダウン」で自分に合った「正しい努力の方向性」が見つかる

好きで、頑張ったらできる可能性を秘めているけれど、現状はなかなかできていない分野です。これは、**ほんの少しの努力で「できた」に持っていける可能性が高い**ので、最優先で努力するべきところだと言えます。

では、なぜ好きなのにうまくならないのでしょうか。

この場合、**「努力の方向性」が間違っている**可能性が高いです。頑張り続けられる分野なのだから、しっかりと努力の方向性を軌道修正する必要があります。

PART1では、そのために必要な**「目的・目標」の立て方**を解説したいと思います。

PART 2

「嫌い×苦手」の勉強法

自分を変えなくてOK！

科学的な「ルーティンづくり」で「自動モード」で勉強が始められる

嫌いで、頑張ってもなかなかできない分野になってしまっています。

こういう、「やりたくないこと」を実践するためには、きちんとシステムをつくる必要があります。**習慣化して、ずっと取り組み続けられるようにしなければならないのです。**

では、どうすれば**「実践し続けるシステム」**をつくることができるでしょうか。PART2では、そのための勉強法を解説したいと思います。

PART 3
「嫌い×得意」の勉強法

「面倒くさがり」でOK！「タイパ最大化」の4STEPで「最小の時間」で「最大の効果」をゲットする

嫌いだけど、なぜかわりと結果が出ている分野です。

こうなると、考えなければならないポイントは「**いかに時間をかけずに結果を出すか**」だと言えるでしょう。時間の使い方を工夫することで、タイパよく結果を出すことができるようになります。

ということで、PART3では「**上手な時間の使い方**」について解説したいと思います。

PART 4
「地頭」がよくなる習慣

机に向かわなくてOK！
「なぜ？」をつなげる思考法で「生きているだけ」で頭がよくなる

ここからは、**マトリクスを支える「2つの土台」**を紹介します。

PART3までの勉強法は、それだけでももちろん十分効果的なのですが、ここから紹介する「2つの土台」がしっかりしていると、その効果が何倍にも大きくなるのです。

「1つめの土台」は、どのように勉強すれば「地頭」がよくなるのかという、**「学びの姿勢」**の話です。

みなさんは、**「あの人は頭がいいな」**と心から感じる人に会ったことはありますか？

知識もあるし、考え方が柔軟で、思いもよらない角度から物事を見ることができる。

そういう人って、**話していてカッコイイし、憧れます**よね。

そして多くの人は、そういう人の頭のよさは**「生まれ持ったもの」**だと思っています。「あの人はすごいけど、自分とは違うから……」、そう思い込んで、その人に近づこうという発想すらなくなっていく。

でも実は、**そういう人の「地頭のよさ」って、後天的なものなんです。**日常のちょっとした工夫で、彼らに近づくことができます。

PART4では、彼らに近づくための「**地頭をよくする学びの姿勢**」について解説していきます。

PART 5
努力を続ける習慣

「強い心」なんてなくてOK！
「マインドセット」の整え方で努力を「効率的」に「継続」できる

最後は「2つめの土台」、勉強をずっと続けるための「心の整え方」を解説していきます。

実は、**物事を継続できるかどうかって、考え方1つで決まったりするのです。**

たとえばみなさんが腕立て伏せをしているときに、「もう無理だ！　これ以上は腕立て伏せできない！」と思ったとしましょう。でもそのときに、こんなふうにアドバイスされたら、やる気になるのではないでしょうか。

「あと3回やれば、100回やったことになるよ」

そうすると、「そうか、じゃあ、あと3回だけ頑張ってみよう！」という気になりますよね。

このように、**少しだけ考え方を変えることで、努力の仕方が変わる**のです。

的外れなところで頑張ることに
価値なんてない！

『インベスターZ』（三田紀房著、講談社）1巻・credit.2「秘密の系譜」

ということで、マトリクスの場所に応じて対策をしていくのが本書の流れになります。

的外れなところで頑張って、努力の結果が出ないのは、すごく悲しいことです。努力を始める前にマトリクスをつくることで、**ラクに・確実に結果を出せる**ようにしましょう！

PART 1

「好き×苦手」の勉強法

	好き	嫌い
得意		
苦手	✓	

頑張らないでOK!

「目的・目標のブレイクダウン」で自分に合った「正しい努力の方向性」が見つかる

STEP 1

「頑張らない」を意識する

――「何のために何をするか」だけにフォーカスしよう

PART1では、「好き×苦手」の勉強、すなわち「別に嫌いなわけでもなくて、**どちらかというと好きなんだけど、なんか結果が出てないんだよな～**」という分野についての勉強法をお伝えします。

PART1が「好き×苦手」なのには理由があります。「好き×苦手」な分野こそが、**まず真っ先に努力するのに適している**からです。

勉強の前に分析してマトリクスが完成したら、**まずは「好き×苦手」な分野の勉強から取り組んでいくのがおすすめ**なのです。なぜ、そう言い切れるのでしょうか。

「好き×苦手」の場合、努力の量が足りない、ということはないはずです。好きである以上、それなりの努力は続けられるはず。

それなのに「苦手」ということは、「努力の方向性」が間違っている可能性が高いです。逆に言えば**「努力の方向性」さえ修正してあげれば、自然と結果はついてくるの**です。

ここからは、「正しい努力の方向性」の見つけ方をご紹介します。

「頑張れば結果が出る」という思い込み

僕たち「チームドラゴン桜」では、毎年いろんな生徒を見ています。合格できる生徒もいれば、惜しくも不合格になってしまう生徒もいます。

合否は努力量や勉強時間によって決まるわけではありません。しっかり努力をしてきたのに不合格になってしまう人もいれば、普通の人より短い時間しか勉強していないのに合格できる人もいます。

時間をかけた人間が有利というなら、浪人生が有利という話になりますが、**浪人生の合格率と現役生の合格率って、実は大きな差はありません。**

「努力すれば、結果が出る」

これが間違っているわけではありません。でも、ただ何も考えず、がむしゃらに努力しても意味がありません。**努力の量ではなく、質を上げないと、結果にはつながらない**のです。

そんな中で、合格している人たちと不合格になってしまった人たちとの間には、どんな差があったと言えるのでしょうか？

結論から言うと、**結果を出せる人とそうでない人との最大の差は、「目的意識」にあります**。

漫画『ドラゴン桜2』のワンシーンをご覧ください。

「全力」「がむしゃら」「必死」これらの言葉も今後使わない
え~~~……私 頑張りたくてこのクラスに来たのに……
「頑張る」は精神的興奮で課題克服を図ろうとする勢いだけの感嘆符でしかない
こんな具体性も合理性もない言葉で成果を上げようとするのは誤りだ
だから これからは「頑張る」を使わずに物事を考えて会話する
「なんのために何をするか」常に機能で考え話すことを習慣にするつまり……

「頑張らない」
これが東大合格のための第一歩だ
機能的に考えて話す……

「頑張らない」なんて言うと、「いや、頑張らないで東大に合格できるわけないじゃん」と思う人が多いでしょう。

僕らもそれは同意見です。何か目的を持ったときに「頑張る」のは、ある意味で当然のことだと言えます。ですが、多くの人はその**「頑張る」自体が目的になってしまう**のです。

勉強の効果は「目的」で決まる

偏差値35から東大に合格した「リアルドラゴン桜」であり、「チームドラゴン桜」リーダーの西岡壱誠さんは、勉強を始めた段階では**「とにかく誰よりも長く勉強しよう」**と考えていたそうです。

睡眠時間を削り、勉強のために時間を費やし続け、風呂や食事中にも勉強し、とにかく勉強時間を延ばそうとばかり考えていたのだとか。

その結果、一定の水準まで成績は上がりました。偏差値35から60くらいまでは、努力の量で結果が出ていたそうです。

でも、**頑張るだけでは、それ以上にはぜんぜん上がっていかなかった**。偏差値60以上の成績を取ろうと思ったときに、それまでのがむしゃらな努力ではぜんぜん結果が出なくなってしまったのだそうです。

結果につながる努力をするためには、**その努力の目的**を考えなければなりません。

たとえば3時間勉強するとして、その3時間分をひたすら参考書を見ているだけで終わらせることもできるでしょう。

その一方で、**「この3時間で、この分野の問題を解けるようになろう！」**と目的を意識して努力することもできます。

よく、「東大は、1日何時間くらい勉強したら合格できますか？」と聞かれます。僕もこの質問を多くの東大生に聞くのですが、みんな一様にポカンとした顔をして、こう答えます。

「時間に重きを置いていなかったから、『何時間勉強したか』なんて計っていない」

この点において、東大生たちは、桜木先生の言うとおり**「頑張らない」**のです。

結果として努力が積み上がっただけで、「頑張る」は目的ではない。**「時間」が先に**

STEP
1
ポイント

「頑張る」は禁止
「何のために何をするか」だけにフォーカスする

あるのではなく、「目的」が先にあるのです。

この目的意識を最後まで貫くことができた受験生が、結果を出しているのです。

か」を考えることで、まずは「目的を意識すること」です。「何をしなければならないのということで、まずは「目的を意識すること」です。「何をしなければならないのか」を考えることで、結果にコミットすることができるようになっていきます。

無理せず自然に成績が上がる勉強のトリセツ
東大生の合格手帳術

偏差値39から合格した「リアル水野直美」な東大生によって書かれた書籍です。手帳を通して「自己管理」「自己分析」「自己肯定」を高める方法を構築し、思い描いた夢を叶えることを可能にします！
松島かれん著、日本能率協会マネジメントセンター

STEP 2

分解して「己を知る」

――明確な「目的」を得るために、現状を「分解」しよう

では、どうやって「目的」を持ったらいいのでしょうか？　次はそれを考えていきましょう。

勉強においても、スポーツにおいても、ビジネスにおいても同じだと思うのですが、**「目的」を明確にするためには「分解」する必要があります。**

自分がいったいどういうところで失敗する人間で、どういう点が優れていて、今後どういうポイントを伸ばしていくのか。きちんと分解して考える必要があるのです。

たとえばみなさんは、英語はできますか。「自分の英語力を現状分析してください」

とお願いされたら、どんなふうに実践するでしょうか。

僕たち「チームドラゴン桜」は、全国の学校にお邪魔して学生に講義をするプロジェクトにおいて、これと同じ質問をします。

するとたいていの場合**「英語ができない」**とか**「英語が苦手だ」**とか、そういった回答をして「これが現状分析です」と言ってくる生徒が多いです。

ですが、**これではやはり、不十分**なんですよね。

たとえば「英語ができない」と分析した子に、「じゃあ次は何をするの？」と尋ねても、「うーん、英語を頑張ります」と、**漠然とした方法論でしか考えることができない**んです。

これでは「なぜ英語ができないのか」「どうすれば英語ができるようになるのか」がわかりませんよね。いつまでたってもできるようにはなりませんし、**このまま努力してもムダになってしまうことが多い**のです。

現状を「分解」できれば対策が決まる

大切なのは、**現状を「分解」して考えること**です。英語といっても、いろんな分野があります。リスニング、英文法、英作文、英単語、さらにはスピーキングもあります。**自分はどこでつまずいていて、何ができていないから成績が低いのか、しっかりと考えられていないと意味がないんです。**

もっと言えば、各分野の中にも**難易度**があります。英文法でも基礎問題もあれば、応用問題もあります。英単語でも、「英語を見て日本語の意味を答えることはできるんだけど、日本語から英語にするのが難しいんだよなぁ」という場合だってあるわけです。

繰り返しになりますが、**重要なのはしっかりと「分解して考える」こと**です。まずは**現状分析する前に、構成要素を分解**してみましょう。「英語」ではなく「英単語」や「英文法」、もっと分解して「英文法の関係詞の基礎問題」と、しっかりとかみ砕いて考えていくのです。

こうして分解できれば、あとは簡単で、**その分解した要素の対策をしていくだけです。**

これは何も受験科目の話だけではありません。悩みだって同じです。**たいていの悩みは、分解できれば解決できます。**

たとえば漠然と「今度のプレゼンが不安だなあ」と考えたとして、**その不安を分解して考えられていないうちは不安なままです。**

「パワポについて不安」なのか「ちゃんとしゃべれるかどうか不安」なのか「反応がどうなるか不安」なのかを分解できれば、対策を打つことができます。

悩みは分解されていないから不安なのであって、**分解できれば解決の糸口が見えるのです。**

『ドラゴン桜』式　分解のコツ

「でも分解できないよ」「どれができていて、どれができていないかなんてわからない！」という人も中にはいるかもしれません。桜木先生はこんなことを言っています。

それでも僕は東大に合格したかった

偏差値35から2浪して合格した「リアルドラゴン桜」である著者が自身の受験経験を描く、ドキュメント・ノベルです。受験期の経験が小説として描かれているので、モチベーションがなくなったときにでも、みなさんぜひ読んでみてください！

西岡壱誠著、新潮社

「己を知れ」

自分ができているところ、できていないところを知るためには、**データを集める**しか方法はありません。**積極的に自分を知ろうと努力する、客観的な指標に頼る以外に、方法はない**のです。

たとえば受験や資格試験などのテストがあるものは、受験概要に「**出題範囲**」が出ている場合がありますね。それを参考に分解して、自分なりにテストをしてみましょう。

ＴＯＥＩＣのテストなら過去問を解いてみて、その中でもリスニ

東大合格
秘訣の第一条は……
まず
「己を知る」
ことだ！

『ドラゴン桜2』2巻・10限目「東大合格第一条『己を知る』」

ングの分野の点数が低かったら、そのリスニングが弱点になります。この場合、次にやるべきはリスニングになりますよね。

さらに、その中でも**難易度**などを考えればもっと深く分解できます。「難しめの問題はやっぱり自分は苦手なんだな」「簡単な問題のところで取りこぼしているんだな」などと考えていけば、さらなる分解ができ、次にやるべきことがどんどん明確になっていきます。

一方、仕事を覚えるときや新しい学問に触れるときのように「具体的なテスト」がない場合、**時系列で考える**という方法があります。

たとえば資料づくりが苦手なのであれば、資料づくりをするためのフローを考えてみるのです。

①資料をつくるための情報を上司からヒアリングする
②ヒアリングした内容をもとに、情報を集めたり社内調整をする
③その結果をまとめて文章化し、資料を作成する
④作成した資料について関係者からフィードバックをもらい、調整する

このように、まずは時系列で分解します。その上で、**どこの部分で時間がかかっているのか**を考えていきます。

「自分は文章化するタイミングで時間がかかるんだな」となったら、「じゃあ、速く文章化するために、何をすればいいいんだろうか」と考えていくことができるようになるはずです。

ここまで自分の弱みが見えたら、あとは簡単です。**見えてきた弱みを克服すること、それがあなたの「目的」になります。**

STEP 2 ポイント

● 現状を分解すれば、正しい「目的」が定まる

● 分解するときには「出題範囲」や「時系列」が参考になる

STEP 3

「目的」を「目標」に落とし込む
――ゴールまでの「最短距離」を導き出そう

己を知り、目的が見えてきたら、今度はそれを「目標」に落とし込んでいきましょう。

「え？ 目的と目標って違うの？」と思うかもしれませんが、違います。みなさん、**目的と目標の違い**って、どんなものだと思いますか？

英語で言うとわかりやすいかもしれません。

目的を英語で言うと「goal」または「purpose」です。「こんなことがしたい」という**最終的なゴールが目的**だと言えます。先の例では「英文法を覚える」とか、「プレゼン資料で内容を文章化するスピードを速める」などが当てはまりますね。

一方、目標を英語で言うと「target」です。**目的にたどり着くために立てる中間の指標や、目的にたどり着くための行動・数字**のことを言います。

「英文法を覚えるために、この問題集を30ページ解く」とか「文章化のスピードを速めるために、文章術の本を10冊読む」という感じで、**数字での指標**が目標になります。ここで言う「目標をつくろう」は、こっちを指しています。

目的と目標は、しばしば混同されます。「英文法の問題集を30ページ進める」「文章術の本を10冊読む」というのは、**目標であって目的ではありません**よね。「英語の完了形をマスターする」という**目的のための1つのステップ**が「問題集を30ページ進める」という目標だったわけです。

ですから、目的と目標を切り分けて、考えていきましょう。

目標が明確なほど、結果が出る

では、ここでクイズです。みなさんは、**「今日はこれから、どんな勉強をする？」**

という質問に対して、どんな回答があると思いますか？

A：「英語をやります！」と科目を教えてくれる

B：「数学の参考書を進めているんで、それを3問終わらせます！」と勉強量を教えてくれる

C：「英語の単語力を上げるために、英単語帳の1～100番を覚えます！」と勉強の中身を教えてくれる

このうち、**成績が上がりやすいのは圧倒的に「C」のタイプ**です。

Aのタイプは、自分が何を頑張っているのかを教えてくれているわけですが、**その結果どうなるのか、あまり想像できていません。**だから、「英語の何をやるの？」と聞くと、「え？ うーん」と考え込んでしまいます。

Bのタイプは一見成績が上がりそうですが、「2問やった」「4ページ終わらせた」というのは、**「量」をこなすことが目的になってしまっています。**このように、**目的から目標をブレイクダウンする作業**を怠ると、「この1冊を頑張れば合格できるはず

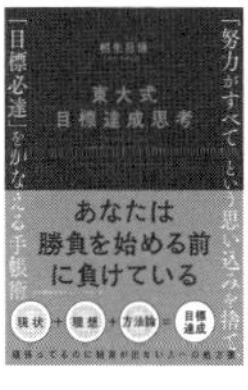

東大式 目標達成思考
「努力がすべて」という思い込みを捨て、
「目標必達」をかなえる手帳術

東大模試で全国1位になったこともある著者の、手帳を使った目標達成の方法論を解説した1冊です。努力を始める前から、努力の方向性を誤らないようにするべきという論は、本書とも通じる部分があります。
相生昌悟著、日本能率協会マネジメントセンター

だ！」と考えて、**こなすこと自体が目的になってしまいがち**なのです。

Cのタイプは、**「目的」が明確な上で、「目標」が書いてあります。**「英語の単語力を上げる」という目的が先にあって、そのために勉強がひもづいています。

AもBも、頑張った先に何があるのかを想像できていません。それだと、ただがむしゃらに何かをやっているだけ。

でもCは、**目的のための努力**をしています。こういうタイプは、**きちんと結果につながる努力**をすることができるのです。

ということで、ここまでのSTEPを整理すると、**次の３つのことを整理すればいい**ということになります。

【現在の課題】 客観的に考えて、いま何が必要なのか？ 分解して見えてきた課題は？

【目的】 課題から考えて、どんな目的を達成したいのか？ 目標を達成した上で、どういう状態になっていたいのか？

【目標】 どんなことをするか、数字に落とし込んで具体的に決める

この3つを紙や電子メモに書いておくと、勉強の効率が格段に上がります。

最短ルートは「目的地」「現在地」がわかって初めて決まる

さて、ここまでの話をまとめてみましょう。

みなさんは、カーナビを使ったことはありますか？

車を持っていない人は、電車の乗換案内でもかまいません。どんなツールを使ったとしても、みなさんは「どこかに行きたい」と思ったら、**3つのステップ**を経てその経路を考えると思います。

最初は、**目的地**を入力すること。富士山に行きたいなら「富士山」と、北海道に行きたいなら「北海道」と入力しますよね。

このときに、目的地がなかったらどこにも行くことはできません。「うーん、ここら辺をブラブラ……」なんて考えていたらいつの間にか富士山の頂上だった、なんてことはあり得ません。富士山の頂上に行きたいのなら、「富士山の頂上」と目的地を

具体的にしておく必要があるのです。

次に、**現在地**を入力すること。みなさんが東京駅にいるなら「東京駅」と、香川県にいるなら「香川県」と、現在地の情報を入力しますよね。

「いま自分がどこにいるのか」がわからないと、どこかに行こうにもどちらに進めばいいかわからないはずです。東京に行きたいときに、北海道にいるなら南に行くべきだし、大阪にいるなら東に進むべきです。

でも、自分がどこにいるかわからない状態では、どうすることもできません。だから、**いまいる場所がどこなのかを知る必要がある**のです。

そして最後に、**ルート検索**です。現在地と目的地が入力できたならば、あとは「そこまでの道のり」「最短距離はどういう道か?」が自ずと理解できるようになるはずです。

さらに、目的地と現在地が定まれば**「こっちの道は行かないほうがいい」「これはムダな努力になってしまう可能性が高い」**ということも、簡単に理解できるようになるわけです。

勉強も、これと同じです。

己を知り、現状を把握することは、**「いまの自分の場所」**を理解すること。
目的を知り、理想を把握することは、**「これから行きたい場所」**を理解すること。
目標を知り、方法論を構築することは、**「この2地点の中で最短の経路」**を考えること。

この考え方に従えば、**「正しい努力の仕方」**を知ることができるのです。

STEP 3 ポイント

「目的」から「目標」をブレイクダウンする
「正しい努力の仕方」は、目的地と現在地が決まれば自ずと見つかる

STEP 4

「二重目標」を設定する

——最高目標と最低目標を立て、努力の質を最大化しよう

さて、目標の立て方にも工夫があります。

目標を立てても、**それをうまく実行できないことって**ありますよね。その理由は、『ドラゴン桜』の中だと目標＝「理想の塊」になってしまうから、と説明されています。

目標は高すぎても低すぎてもいけない

目標を立てているとき、人はやる気がみなぎっています。そういう状態だと、「難しいかもしれないけれど、毎日50ページ終わらせたい！」「本を30冊読みたい！」と、**高い目標ばかりを立ててしまいがちです。**

または、ゴールから逆算して「この目標に到達するためには何時間勉強しないといけない」というように目標を立てるため、現実的でないくらい高い目標になってしまっていることもしばしばあるわけです。

そんな**高すぎる目標を立ててしまうと、毎日続けるのはとても難しくなります。**

さらに人間は、**ちょっとでもうまくいかなくなると、すべて嫌になってしまうことがあります。**

最初の2日は達成できても、3日目に達成できないと、「ぜんぜんできない！」と感じて、4日目から「やること」自体をやめてしまう場合が多いわけです。

「毎日腹筋100回！」という目標を立てて、はじめの2日間は達成できたのに、3日目には達成できそうにない……となったときに、人はなぜか**「せめて90回まではやろう」とはならず、「まったくやらない＝0回」という選択を取ってしまいがちなのです。**

でも、だからといって**簡単な目標にしすぎてしまうと、自分が本当にできる範囲を狭めてしまうことになります。**人間、「15ページでいいや」と言ったら15ページしかできないものなのです。

だから目標は高く持ちたいけれど、しかし失敗してしまうと気分が落ち込んで、目標どおりにはできない……そういうジレンマに陥ることがあるのです。

そこでおすすめなのが、「二重目標」という考え方です。まずはこの漫画を読んでみてください。

いわば…
これは教師における
二重目標という
考え方でヒ…
『ドラゴン桜』（三田紀房著、講談社）12巻・109限目「二重目標」

二重目標？
そうでヒ
目標を立てるときは二重に準備するといいのでヒ…
普通は誰もが「○○を○○だけやるぞ」と目標を立てます
「物理の問題を毎日15問解くぞ」というようにね

でも大抵《たいてい》は三日坊主で終わる
なぜなら目標がただの願望になっていて昨日できなかったから今日は倍やるぞなどと無理を重ねてしまうから
そしてひとつ失敗するとすべてがダメだと思って諦《あきら》めて投げ出してしまう
これを防ぐために目標を二つにするのでヒ
最低限なしとげたい目標と…
もしできたら理想的な目標の二つを用意するのでヒ
最低と…理想……
私の場合は生徒を受験で合格させる
これは最低でもなしとげたい…

そして理想は生徒のみんなが科学について興味を持ち
将来自分も科学に携わって社会の役に立ちたいと思う人間を育てることでヒ

この漫画で描かれているとおり、**「二重目標」とは、「最低目標」と「最高目標」の2つの目標を立てていく**、という手法です。実際、多くの東大生が実践しているやり方です。

最低限達成したいラインを「最低目標」、最高で達成したいラインを「最高目標」にして実践していくこの手法は、**目標が2つある**のが特徴です。「点」で目標を設定するのではなく、その間の**「線」で目標を設定する**ことになります。

点の目標設定だと、「その目標をクリアできたかどうか」という思考になってしまいがちです。一方、**線の目標設定だと「クリアは前提で、どこまでできるか」という思考**をすることになり、少なくとも**「達成できなくて気分が落ち込む」**ことはないわけです。

「最低でも30回は腹筋をしよう」「最低でも2時間は勉強しよう」「最低でも10ページは終わらせよう」と最低ラインが決まっている状態なら、**「まったくやらない」という最悪の事態は避けられる**のです。

「二重目標」はあらゆることに応用できる

この手法は、何にでも応用できます。毎日進めたい勉強のページ数や勉強時間、進めたい仕事の分量に対して2つ目標を設定して「最低でも2件は終わらせる！　行けたら4つ！」とするのもいいでしょう。

東大生はテストの目標点も、二重目標で設定していることが多いです。

「80点取れたらいいけど、60点は最低取りたい」と、目標点数を2つ設定して、その間の点数を取れればいいと考えるわけですね。

また抽象的に、「1年間でプログラミングがここまでできる状態になっているのが最低ラインで、教えられるようになる状態までいくのが最高ラインかな」と考えるのもいいと思います。毎日の目標をつくってもいいですし、1カ月、1年、とスパンを長くしてもいいでしょう。

ということで、ここまでが「好き×苦手」の対策でした。

「目的」を定め、「目標」を立てる。そうすればムダな努力をすることなく、結果に

東大生のノートから学ぶ
天才の思考回路をコピーする方法

東大理3の著者が、東大生の思考回路をコピーするためのノート術を解説しています。東大生のノートには、彼ら彼女らの思考の本質が詰め込まれています。そこから学ぶことで、頭がよくなります！
片山湧斗著、日本能率協会マネジメントセンター

一直線に進んでいけます。こうすれば「好き×苦手」なことは、すぐに「好き×得意」に変わっていくでしょう。

次のPARTでは、「嫌い×苦手」の対策についてご説明します！

STEP 4 ポイント

目標は高すぎても低すぎてもいけない

「二重目標」を立てると、質の高い努力を続けられる

PART 1
「好き×苦手」の勉強法

頑張らないでOK!

自分に合った「正しい努力の方向性」が見つかる4STEP

STEP 1

- 「頑張る」は禁止
- 「何のために何をするか」だけにフォーカスする

STEP 2

- 現状を分解すれば、正しい「目的」が定まる
- 分解するときには「出題範囲」や「時系列」が参考になる

STEP 3

- 「目的」から「目標」をブレイクダウンする
- 「正しい努力の仕方」は、目的地と現在地が決まれば自ずと見つかる

STEP 4

- 目標は高すぎても低すぎてもいけない
- 「二重目標」を立てると、質の高い努力を続けられる

PART 2

「嫌い×苦手」の勉強法

	好き	嫌い
得意		
苦手		

自分を変えなくてOK!

科学的な「ルーティンづくり」で「自動モード」で勉強が始められる

STEP 1

「習慣化」する

――「自然と勉強を始めちゃう」魔法の環境を整えよう

ＰＡＲＴ２では、マトリクスの右下、最大の難敵と言ってもいい**「嫌い×苦手」の勉強**について解説していきます。

「嫌い」で、かつ「苦手」な勉強って、まあ**「やりたくない」**ですよね。「好き」なものならともかく、「嫌い」な上に「苦手」なことは、まずは**「やろう」という気になること自体が、最大の壁**になります。

そういう分野の勉強を始める前にまずやるべきなのは、**習慣化**です。「ルーティン」とも言います。この漫画をご覧ください。

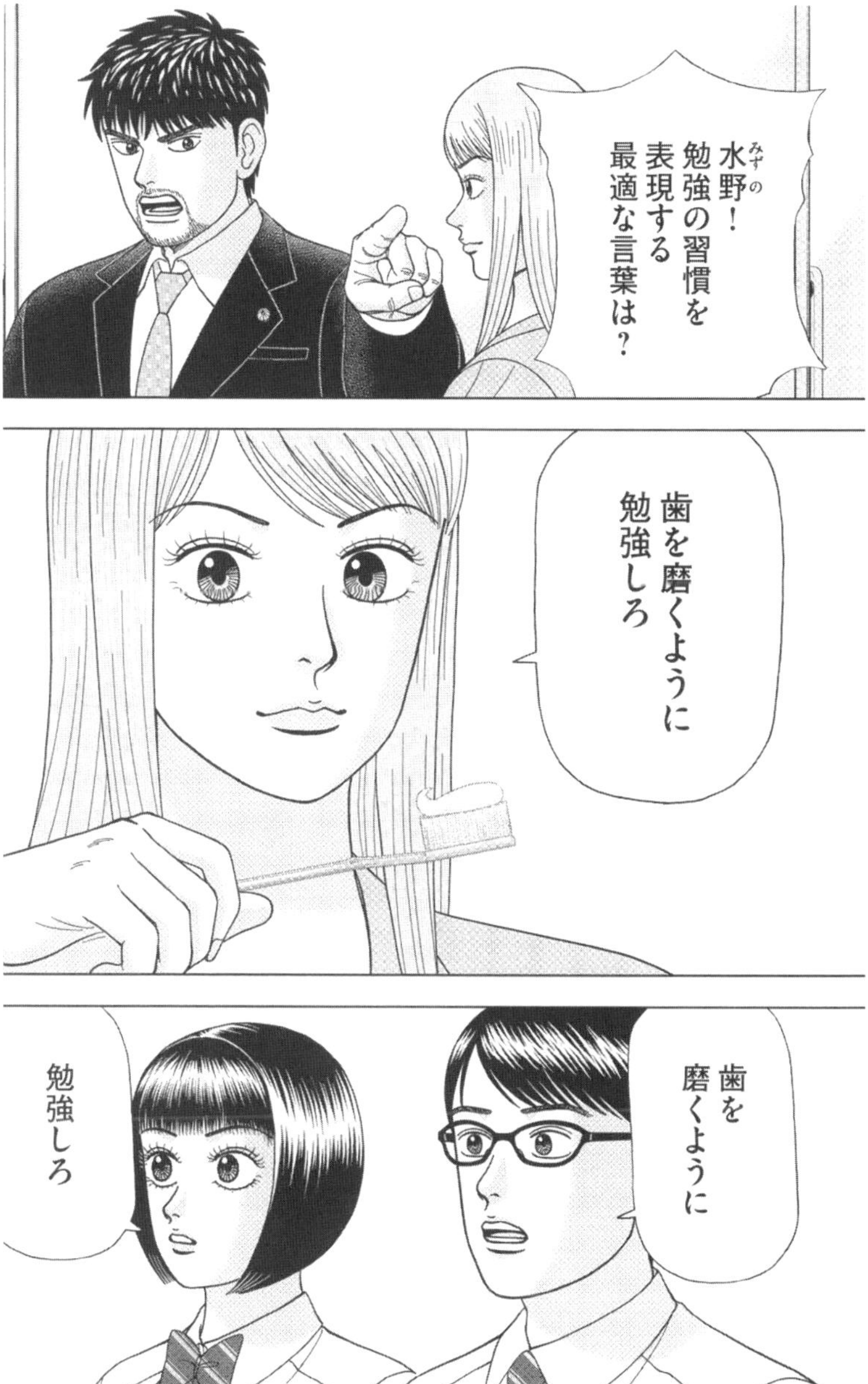

『ドラゴン桜2』10巻・78限目「歯を磨くように」

「歯を磨くように」

これは**「嫌い×苦手」**なことで**結果を出そうとするときに、もっとも重要な考え方**です。とにかく、それをしなければ気持ち悪いと思えるくらいまで、**身体に染みつけて、習慣化する**わけです。

逆に、いま「嫌い×苦手」な物事というのは、**習慣化ができていないから、嫌いで不得意なの**だとも言えます。

さて、みなさんにも、**何度も何度も繰り返しているため、ほとんど無意識的にそういう行動を取ることができる**ってことがあるはずです。

たとえばお風呂場に行って「さあ、まずは何をしようか？」といちいち考えて身体を洗っている人はいないですよね。

おけでお湯をすくったりシャンプーやコンディショナーを使ったり、身体を洗うのにはたくさんのプロセスがあります。でも、普通はそれらをほとんど意識することなく、自然に身体を洗うことができていると思います。

なぜそれができるかというと、**何度もそういう行動をして身体に染みついていて、ルーティン化しているから**です。

「嫌い×苦手」なことは、やり始めるのもやり続けるのも大変です。それでもやらなければならないのなら、もう、お風呂で身体を洗うように、**「何も考えずにやれるようにする」**のがいちばんなのです。

「ルーティンの空白地帯」に習慣を埋め込む

では具体的に、どうすれば**「嫌い×苦手」なことを「歯を磨くように」「風呂に入るように」習慣化**できるのでしょうか。

おすすめなのは、**「場所」で習慣をつくる**というやり方です。

たとえば、学校や職場は勉強したり仕事したりする場所というイメージがあり、実際に自分以外の人間も勉強や仕事をしています。

こういうところでは、あなたももう**無意識的に勉強も仕事もできる**はずです。そこで勉強したり仕事をしたりするのは、「習慣化」されているわけです。

現役東大生が小学生のころ親と一緒にやっていたこと

お金がない家庭から東大に合格した著者が、小学生のころ親と一緒にやっていたことを1冊の本にしました。どうすれば頭がよくなるのかについて語られた本ですので、お子さんと一緒にぜひ!
布施川天馬著、西岡壱誠監修、内外出版社

しかし、家での勉強・仕事は、往々にしてルーティンができていません。**家は「休む場所」というイメージがあり、そのイメージが自分の中で固定されてしまっている場合が多い**のです。だから家では、仕事をする・勉強をするルーティンができていないのです。

家での勉強に苦労するのは、実は東大生も同じです。では、彼らはどうやって勉強の習慣を身につけたのでしょうか。

いちばん多くの人が実践していた方法は、**自室ではなくリビングや廊下で勉強する**というものです。自室には「休む場所」というイメージがあり、すでに「休むルーティン」ができてしまっています。**長年つちかってきたそのルーティンを壊すのは、東大生でもかなり大変**なのです。

そこで有効なのが、まだ何のルーティンもないリビングや廊下です。この**「ルーティンの空白地帯」に「嫌い×苦手」な勉強をするという新しいルーティンを埋め込んで、習慣化してしまおう**というわけです。

東大生に話を聞くと、親や兄弟姉妹が何か違うことをしている横で、リビングで勉強していたという人はとても多いです。他人から見られていることによる緊張感もありますし、**そこで勉強する習慣をつくるのは、自室より何倍も楽**なわけです。

僕も、自室での勉強よりもリビングでの勉強のほうがはかどる場合が多いので、家族が外出しているときはいつもリビングで勉強していました。

立って勉強する

自室でしか勉強できない場合は、**「立ってやる」**のがおすすめです。

椅子に座ったり、ベッドに横になりながら勉強していると、そのまま休んでしまいがちです。そういうルーティンが確立しているからです。

でも、**立って何かをするルーティンがあるという人は少ないはず**です。

だからこそ、これから新しく**「『嫌い×苦手』な勉強は立ってする」というルーティンを確立してしまえる**わけです。東大生には、立ちながら本を読んだり論文を書いたりしている人もいます。

人生を切りひらく
最高の自宅勉強法

「実際に効果がある勉強法」と言える、20の鉄則と28の極意、5つのルールからなる「53の勉強法」を紹介しています。自宅での勉強に興味がある人こそ、ぜひご覧ください!
布施川天馬著、主婦と生活社

このように、「嫌い×苦手」な勉強は場所や姿勢を変えて、そこでの作業をルーティン化するというのがおすすめの方法です。

STEP 1 ポイント

- 嫌いな勉強こそ「習慣化」する
- いまルーティンがない場所・環境で新しいルーティンをつくる

STEP 2

モノに頼る
――「自分を変える」より「手軽」で「効果的」なやり方を選ぼう

さて、環境を整えたところでみなさんに1つ、よいお知らせがあります。それは、**「歯を磨くような」習慣化のためには、自分を変える必要はない**、ということです。

「え、自分を変えなかったら、これまでの失敗を繰り返しちゃうんじゃない？」

そう思われるかもしれませんが、そんなことはありません。むしろ**「自分を変えよう」という決意が、習慣化の邪魔になる**ことすらあるのです。

桜木先生のセリフを引用しましょう。

そういう時に
人は自分の
メンタルを
変えようとする
自己改革を
しようとする
そのために
自己啓発の本を読んだり
セミナーに参加して
思考を見直すことに
取り組む
自分で
自分の内面を
変えようとする！
新しい自分に
生まれ変わろうとする！

『ドラゴン桜2』10巻・79限目「アップデート力」

しかし結果的に失敗する
当然だ人は性格なんて直せないからだ！
三日坊主を思考を変えて克服することは絶対に無理なのだ
だからもう自分で自分を変えようなんて思うな！
自己改革なんてやめろ！

桜木先生の言うとおり、多くの人は**精神論**でなんとかしようとします。**「俺はサボらないぞ！　きちんとガッツを持とう！」「サボりの原因になるスマホは封印だ！」**と。

◎精神論で解決するのはナンセンス

はっきり言ってこれは、ナンセンスでしかありません。もちろん、短期的には効果を発揮することは認めます。

でも、ガッツでなんとかするということは、**ガッツが尽きたらもう、その時点で終わりです。問題の先送りでしかない**のです。「歯が痛い！」と言っている患者に痛み止めを渡すようなもので、根本的な部分にアプローチできないと、ずっと「歯が痛い！」という事実は変わらないのです。

そんなことで解決するなら、誰も苦労なんてしていません。**自分を変えたいと思うのなら、自分に頼っていてはいけない**のです。

たとえば、なかなか勉強が手につかないという人が「勉強のモチベーションが上がる本」をたくさん読んで、「勉強のモチベーションが上がるYouTube動画」を毎日観まくったとして、効果があるでしょうか？

少しはあるかもしれませんが、根本的な解決にはなっていないですよね。

それよりは、**多くの人が勉強している自習室に毎日行くことを習慣化するとか、そういう行為のほうがよっぽど効果があるはず**です。

三日坊主になってしまう人が、三日坊主をやめるために精神論に頼っても、何の意味もないのです。**三日坊主を防止できるしくみをつくったほうがいい**。「自分で自分を変えようとする」のではなく、**何かに頼ったほうが建設的**なのです。

自分を信頼せず、テクノロジーに頼る

こういうときにおすすめなのが、**テクノロジーの力を借りること**です。スマホや機械の力を借りればいいのです。

『ドラゴン桜2』10巻・79限目「アップデート力」

「そんなの難しいんじゃないの？」「テクノロジーなんて使い方を知らないよ」と思う人もいるかもしれませんが、**みなさんはすでに、絶対に多かれ少なかれ、テクノロジーの力を借りているはず**です。

たとえば、目覚まし時計を使って朝起きている人はいませんか？

スマホのアラームをセットしてから寝ている人は？

朝、気合で起きようとはせず、機械の力を借りて起きる時間を設定している人は多いはずです。というか**逆に、気合でどうにかできますか？**

「明日の部活の試合はめっちゃ重要で遅れたくない！　だから気合で7時に起きるぞ！」ってやっている人がいたら、みなさんどう思いますか？「何やってるんだお前」って笑ってしまいますよね？

でも実は、**自分のやる気のなさを気合でなんとかしようとしている人って、これと同じ**なのです。**自己管理がしたいのなら、自分に頼ってはいけません。**こういうときこそ、スマホを活用するべきなのです。

そしていまの時代、頼れる「モノ」はたくさん存在しています。スマホアプリも日進月歩で、非常にいろんなサービスがつくられていて、どれも使えば勉強の効率を上げてくれるものばかりです。

「いままでの苦労はなんだったんだ」と思えるほど素晴らしいものがたくさんあって、多くの人はそれに気づいていないだけかもしれないのです。

さて、そんな中でも、**「嫌い×苦手」な勉強にうまく活用できるアプリ**を3つ、紹介します。

「嫌い×苦手」克服アプリ1：リマインダー

初期設定で多くのスマホにも入っているアプリでありながら、効果的に使っている人が少ない印象があるのが、この**リマインダー**です。

みなさんは、物事を忘れにくいタイプでしょうか？　いろんな勉強や仕事をしている中で、忘れてしまうことも多いのではないでしょうか？

そういうときにおすすめなのが、リマインダーです。**自分のやることや、やらなければならないこと、やろうと思っていたことを全部ここに入力して、未来の自分に通知する**のです。

解決するまで何度も通知が来るように設定すれば、絶対に忘れることはありません。

要は、**他の人に「〇〇さん、あれまだですか？」と言われるのを、自分の中でシステム化してしまう**ということです。

「嫌い×苦手」でやる気が起きないけれど、でもやらなければならない勉強をリストアップして、ぜんぶリマインダーに登録してしまいましょう。

「嫌い×苦手」な勉強を始める時間を決めておいて、その時間をリマインダーに設定しておくのもおすすめです。そしてリマインドが来たら、何をしていても絶対にやり始める。

こうすることで、「嫌い×苦手」な勉強をする習慣をつくれます！

東大式節約勉強法
世帯年収300万円台で東大に合格できた理由

世帯年収300万円台で、親に消費者金融から借金をしてもらって受験した筆者の、お金も時間も節約できる勉強法を解説しています。
布施川天馬著、扶桑社

これがおすすめな理由は、もう1つあります。それは**「自分の中で、タスクが言語化できる」**ということです。

「何をやるか」が不確かな状態だと、なかなか取り組むこともできません。たとえば「なんか数学が苦手だから勉強しなきゃ」「部下とコミュニケーションを取っておきたいな」とか考えても、**具体性がないと行動にまで移せない**ですよね。

しかし**リマインダーに何かを登録することで、「なんとなく」が自然と具体化していきます。**

「数学のこの本を読む」とか「部下にＬＩＮＥで○○と送る」とか、そういう具体性が出てきます。**言葉にするから、「なんとなく」を消すことができる**のです。

リマインダーはすごく使い勝手のいい機能ですし、いろんなリマインドアプリがあります。僕は最初からiPhoneに入っているアプリを使っていますが、みなさんはいろいろ新しいものを試して、自分に合ったものを探してみてもいいと思います。

「嫌い×苦手」克服アプリ2：みんチャレ

次に紹介するのは「みんチャレ」です。みんチャレは、三日坊主を予防してくれるアプリです。

勉強・仕事・ダイエット・スポーツの練習……多くのことは、**自分1人でやるとどうしても三日坊主になってしまいがちです。**誰も見ていないと、簡単にやめることができてしまうのです。

でも、**「一緒にやろう！」と他の人を巻き込んでおけば、簡単にはやめにくいです**よね。努力したときには**「おお！　継続していてできていて偉い！」**と褒められて、サボっていたら**「お前、今日やってないのか？」**と言われる環境があれば、人はけっこう継続できるものです。

「みんチャレ」は、この「偉い！」「今日やってないのか？」という声掛けをしてくれるアプリです。

『ドラゴン桜2』10巻・78限目「歯を磨くように」

このアプリをインストールすると、「ダイエット」とか「勉強」とか「本を読む」とか、そういう**目的を同じくする人たちのための部屋**があって、そこに入ることになります。

何人もの人が同じ部屋の中に集まり、その目的に向けて各々が努力しています。

部屋の中では、**それぞれのメンバーが努力の証拠となる写真をアップして、他のメンバーが「すごい！」と褒め合います**。1人でやっている場合でも、**何人もの人と一緒にやっているのと同じように努力を継続することができる**というわけです。

「今日は2時間勉強できた！」「すごい！」というような会話がいろんな部屋で行われるのです。

こうして、リアルの場で自分の周りにその目的を達成したいと思っている人がいなかったとしても、**「声掛け」による三日坊主の防止**が可能になるというわけです。

アプリをインストールしたら、**あなたの「嫌い×苦手」な勉強をしている部屋**を探してください。そこでみんなと励まし合えば、きっと「勉強したくない」という怠け心に打ち勝つことができるはずです！

「嫌い×苦手」克服アプリ3：写真・アルバム

みなさんは、**スマホの写真・アルバムをどう利用していますか？** というか、写真やアルバムを「写真を撮って、保存しておく」という用途以外に使っている人は少ないのではないでしょうか。

実はこの**写真・アルバム機能、勉強においても非常に使い勝手がいい**のです。

多くの東大生は受験生時代、**「できなかった問題アルバム」**をつくっていました。問題集や試験などで**できなかった問題を写真に撮り、アルバム化し、それを後から見返して勉強する**のです。

大学に入ってもこれを応用して、「覚えておきたい実用書の一節」や「後から見直したいTwitterの投稿」などを写真・スクリーンショットで撮ってアルバム化している人もいます。

覚えたいものを覚えるには、やはり**復習**がいちばん手っ取り早いです。何度も何度も見直すことで、忘れたくないことを忘れないようになっていきます。

だからこそ、そういう**「覚えたいもの」を集めておき、普段から見られる状態にしておく**のが有効なのです。スマホであれば、歯を磨きながら復習することも、電車に乗っている間に確認し直すこともできます。

「嫌い×苦手」な勉強をしたら、**わからなかったこと、新しく覚えたいことをスマホで撮影し、1つのフォルダにまとめておきましょう。**隙間時間にそれを眺めるだけで、勉強の効率は格段によくなります！

さらに、「本当に覚えたいこと」「忘れてはならないこと」を**ホーム画面の画像に入れてしまう**ことで、スマホを見るときには物理的にかならず目に入るようにするという方法もあります。これならどんなにものぐさな人でも、スマホを使うたびに確認することができるというわけです。

ということで、これらの「モノ」を使って、「習慣化」を進めていきましょう！

ビジネスとしての東大受験
億を稼ぐ悪の受験ハック

東大受験をビジネスとしてとらえて、誰もが東大や有名大学にコスパよく進学し、学歴をフル活用するための異端かつ最新の受験術を解説しています。ドラゴン桜で言う、「バカとブスほど東大に行け！」ですね。
黒田将臣著、西岡壱誠監修、星海社

STEP 2 ポイント

- 精神論で頑張ろうとせず、継続する「しくみ」を工夫する
- 「リマインダー」「みんチャレ」「写真・アルバム」を使いこなす

STEP 3

「ノルマ」で計画を立てる
——三日坊主を防ぎ勉強の効率まで上げる工夫

さて、STEP2までで短期的に習慣化する土壌はできたので、次は**計画づくり**です。「嫌い×苦手」な勉強をいかに長期的に続けていくか。それにはやはり、計画を立てることが求められます。

とはいえ、みなさん、計画を立てて自分のやるべきことを整理するのって大変ですよね。やるべきことや課題・到達すべき目標がわかっていたとしても、**「具体的に何をすればいいのか」という計画を考えるのって難しい**と思います。

また、**スケジュールどおりに物事が進むことって少ない**ですよね。計画をつくっただけで絶対に計画どおりに進められるのなら、誰も勉強で苦労しません。

スケジュールをつくってはいけない

そんな中で、東大生はどんなふうに自分の勉強計画をつくっているのでしょうか。

実は東大生の多くは、**勉強の「スケジュール」はつくりません**。その代わりに、**「どれくらい終わらせなければならないか」という「ノルマ」**を決めている場合が多いのです。

まずは、『ドラゴン桜』で、桜木先生が長期休暇前の生徒に向けて「どんなふうに勉強の計画を立てればいいか」を語っているシーンをご覧ください。

40日間で何をするかといった長期計画は立てない
その代わりに毎日のノルマを決める

『ドラゴン桜』8巻・76限目「マーキング勉強法」

ノルマって…
でも それ…
今までとどこが違うの？
例えば数学の
2次関数を2時間
やるというように
時間割では決める
だろう
けれどもその
2時間を漫然と
勉強してしまったら
期待通りの実力は
つかない
2次関数
2時間
計画
ノルマ
その点ノルマなら
15問 問題を解くと
いうように具体的に
やるべきことが
決まっている
ノルマが終わるまで
やめてはいけない
理解するまで
ねばるのだ
逆に予想時間より
早く終われば
それ以上解く必要はない
休憩してリラックス
すればいい

ここからわかるのは、**「スケジュールではなくノルマで計画を考えることの大切さ」**です。

スケジュールを立てて「何時から何時まで勉強しよう」と考えていても、そのとおりに勉強できるかはわかりません。

「思ったよりもこっちの勉強に時間がかかったな」とか「イレギュラーでちょっと外出しなきゃならなくなってしまった」とか、**何かのトラブルでスケジュールどおりに進まない**こともたくさんあるでしょう。

そして人間は、そういうイレギュラーがあってスケジュールが崩れると、**「ああ、もうダメだ」と諦めてしまいがち**です。その時点で計画を投げ出してしまいがちなのです。

しかし、ノルマを明確にしていたらどうでしょうか。

ノルマは、スケジュールよりも具体的に考えなければなりません。「この時間からこの時間は英語の勉強をしよう」と考えるより、**「英語の、このプリントの、ここからここまでを終わらせよう」と考えるほうが、明確にやるべきことが整理できる**のです。

「英語のリスニングをなんとかしたいから、毎日勉強しよう」と考えていても、本当にリスニング力が身につくかどうかはわかりませんよね。

でも「英語のリスニングをなんとかしたいから、**この教材を、毎日この分量終わらせよう**」と考えると、やるべきことが明確になって、計画的に物事を終わらせることができます。

さらに、ノルマで考えていれば、**計画がうまくいかなかったときのリカバリーも簡単にできるように**なります。

「昨日は3ページしかできなかったから、今日は6ページ終わらせれば計画どおりに戻せる」なんて感じで、イレギュラーに対応するには、スケジュールではなくノルマをつくったほうが都合がいいのです。

『ドラゴン桜』式 ノルマのつくり方

では、どんなノルマをつくるといいのでしょうか。これは、PART1の「目的を明確化する」で説明した**「分解」**が役に立ちます。

計画づくりは結局、抽象的なものを具体的にしていく行為にほかなりません。

たとえば、「英語」とか「仕事」とか、抽象的に「こんなことをしたいな」と思っているものを、そのまま計画に落とし込んで考えるのは難しいですよね。

でも、それを「英単語」「英文法」「リスニング」とか、「企画書づくり」「メールの返事」「パワポ資料づくり」なんて分解していけば、何をすればいいのかがわかるレベルにまで到達できます。

やることを分解できたら、**それらに数字を与えていきます**。

「英単語20ページ分」「英文法100問分」とか、「企画書を3つ」「メールの返事を20件」とか、分量を考えて、どれくらい終わらせなければならないかを決めましょう。

だいたい**1週間分くらいのノルマを考えて、「来週の月曜日までにこれくらい終わらせたいな」と思う分量を設定する**のがいいと思います。

ここでポイントなのは、PART1とは違って、この場合はとりあえず、**目的なん**

て考えなくていいということです。

ＰＡＲＴ１はあくまで、「好きだけれど結果が出ていない勉強にどうアプローチするか」という話でした。一方、いま説明しているのは**「やる気が出ない勉強を習慣化する」**ための工夫です。

ということは、ここではあまり目的なんて難しいことを考えず、**とりあえず進めていける状態にすることが先決**なのです。

STEP 3 ポイント

- スケジュールではなく「ノルマ」で計画する
- ノルマは「数字」で考える。「目的」は考えなくていい

STEP 4

キリを悪くする

──最大のハードル「勉強を始める」を軽々と乗り越えるワザ

さて、そうやって勉強していきつつ、勉強が一区切り終わった後に使えるテクニックがあります。

それが、「キリを悪くする」というものです。

「最後までやらない」と次に始めやすい

今回は勉強できたとしても、次も絶対に勉強できるとはかぎりませんよね。

朝勉強を始めるとき、昼休みを挟んで勉強を始めるとき、家に帰ってきてから何か勉強をやろうとするとき……そんな、**最初の「さて、やるか」というその一歩を踏み**

出すのが、実はいちばん難しいものです。勉強や仕事をする上で、いちばんの難所は、最後ではなく最初、「やり始め」だと思います。

やり始めたら、意外となんとか進んでいきます。実は脳科学的にも、「やる気」というのは、実際に行動を始めたら自然と出てくることがわかっているそうです。有名な話なので、聞いたことがあるという人もいるかもしれませんね。

でも、それを知っていたからといって、**「じゃあ」とやり始められれば苦労はありません。**

大変なのは、最初に「やろう」と思って、ベッドから身体を起こし、スマホを置いて、机に座ってテキストを開く、そのスタートの部分なのです。

では、どうすればいいのでしょうか？

そういうときにおすすめなのが、**「キリを悪くする」**です。

人は仕事でも何でも
きっちり終わらせ
ようとしがちだが…
これは効率の悪い
エネルギーの使い方だ
少しだけ残して
翌日そこから始める…
これが余計なストレスを
溜めずに物事を
円滑に進める秘訣《ひけつ》だ
これを守って
過去問を解くだけで
より高い効果が
得られるはず
じゃ 早速
やってみるか
そうだね
良さそうなことは
何でも試してみよ
『ドラゴン桜』20巻・184限目「東大過去問対策術」

要するに、**「続きからスタートする」**ということです。そして、次の日のスタートは「**昨日の勉強を、少しだけやり残しておく**のです。

キリがいいところまで終わらせるのではなく、あと1ページで参考書が終わるところでやめる。あと少しで終わるような勉強を残しておくことで、次の日の朝には**「とりあえず、これだけやってしまおう」と、昨日の続きから始められる**ようにするわけです。

僕らはよく、「キリがいいところまで終わらせよう」と考えてしまいがちです。「あとちょっとで終わるから、終わらせちゃおう！」と。

ですが、実は**キリがよすぎると、次の勉強を始めるのが大変になってしまう**のです。キリが悪いところで終わっていれば、次に始めるときに、**「さて、前回はキリが悪かったから、早く終わらせてしまおう」**と思うようになります。

だから、キリが悪いところで切り上げておくほうが、次につながるというわけです。こうすることによって、はじめの一歩だけは簡単に踏み出せるようになります。

丸つけを残しておく

こんな方法もあります。**前日の夜に問題を解いた上で、丸つけをしないでおく**のです。問題を解き終わった後、すぐに丸つけしたくなるところをグッと我慢して、そのまま眠ってしまうのです。

そうすると、次の日になって「ああ、あんまりやる気が出ないなぁ」と思ったとしても**「あれ？　そう言えば、昨日のあの問題、合ってたのかな？」**とちょっと気にはなりますよね。

あんまりやる気が出ない朝だったとしても、丸つけにはそんなに時間はかかりませんから、**「それだけはやろう」**という気になります。

そして、間違っている問題があったら**「これ、なんで間違えたんだ？」「あれ？　なんで自分はこう答えたんだ？」**と気になります。そうすると、**「じゃあ解説を読もう」「参考書に戻ろう」と、そのまま勉強を続けられる**わけです。

全問正解だったら全問正解だったで、**「よっしゃ！　幸先がいい！　このまま頑張ろう！」と、その勢いのまま1日頑張れる**わけです。

ということで、やる気が出ない「嫌い×苦手」な勉強でも、いろんなテクニックで実践できるようになっていきます。頑張ってみてください！

STEP 4 ポイント

- **勉強を始めるハードルをできるだけ下げる**
- **キリの悪いところで終えたり、丸つけをしないで終えたりすると、次の日に始めやすい**

自分を変えなくてOK!

「自動モード」で勉強が始められる4STEP

STEP 1

- 嫌いな勉強こそ「習慣化」する
- いまルーティンがない場所・環境で新しいルーティンをつくる

STEP 2

- 精神論で頑張ろうとせず、継続する「しくみ」を工夫する
- 「リマインダー」「みんチャレ」「写真・アルバム」を使いこなす

STEP 3

- スケジュールではなく「ノルマ」で計画する
- ノルマは「数字」で考える。「目的」は考えなくていい

STEP 4

- 勉強を始めるハードルをできるだけ下げる
- キリの悪いところで終えたり、丸つけをしないで終えたりすると、次の日に始めやすい

PART 3

「嫌い×得意」の勉強法

	好き	嫌い
得意		✓
苦手		

「面倒くさがり」でOK!

「タイパ最大化」の4STEPで「最小の時間」で「最大の効果」をゲットする

STEP 1

メリハリをつける
――遊んでもいいけれど、「目的のない時間」だけはゼロにしよう！

マトリクスの右上「嫌い×得意」にあるものは、ちょっと複雑です。できるかできないかで言えば、できる。でも楽しいかと言われると、ぜんぜんそんなことない。そんな勉強なら、**「できるだけチャチャッと片づけたい」**ですね。**タイパよく、時間をかけず、それでもちゃんと結果を出すために**どうすればいいかを、勉強「以前」に考えるのが、右上の部分です。

ここでおすすめなのが、**「メリハリをつける」**です。次の『ドラゴン桜』の漫画をご覧ください。これは**「東大に受かりやすいタイプと落ちやすいタイプ」**という話です。

『ドラゴン桜』11巻・97限目「『なあんだ』の秘密」

すぐ帰る子の性格のいいところはどこか？
それは切り替えの早さとうまさです
学校生活でも予備校と同じことが言えます
予備校の講師達は言っています
さっさと帰る子は時間の使い方がうまく勉強も効率よくこなしている
つまり自己管理ができるということ
友達と遊ぶ時は遊び趣味にも時間を費やしコントロールをしながら生活をしているのです

逆にだらだらと残っている子は一見協調性がありそうで好感が持てそうですが……
実は行動を自分では決められず他人に依存している
こういうタイプは生活にメリハリがつかず
勉強していても注意が散漫で意欲も長続きしない
地下鉄
SUBWAY
虎ノ門駅
自己中心的といえば否定的な響きがあるが……
自分の意思を持ち決断して行動するというのは決して悪いことではない

ここで注目してほしいのは、「切り替え」という点です。この漫画に描かれているとおり、**東大生はメリハリを持って物事に取り組んでいる場合が多い**です。

逆に、**「なかなか努力が実を結ばない」と嘆いている人は、「時間の使い方」がうまくない場合が多い**んですよね。

たとえばスマホをだらだらと弄《いじ》ってしまって無為に時間を浪費してしまったり、友達とだらだらしゃべっている時間が長かったり。

時間の使い方「うまい、へた」を見分ける方法

「自分がメリハリをつけられるタイプかどうか」が気になる人は、一度、**自分の1週間の時間の使い方を書き出してみる**ことをおすすめします。

たとえ「時間がない」と嘆いている人であっても、わりと**「使途不明の時間」「何をしているか説明できない時間」**があるはずです。

僕の感覚だと、**週15時間以上そういう「使途不明の時間」がある人は要注意です。**

1日2時間以上も「ムダにしてしまっている時間」があるわけですから、**他の人よりも結果が出にくくなってしまうのは当たり前ですよね。**

「結果が出ない」「時間がない」と嘆いている人であっても、こういう「ムダな時間の使い方」をしてしまっている場合があるはずです。ぜひ、自分の時間の使い方を振り返ってみてください。

「目的のない時間」をなくす

もちろん、リフレッシュの時間は重要です。ですが、**リフレッシュの時間とムダにしている時間は大きく違います。**

リフレッシュという「目的」があるのであれば、それはムダではありません。睡眠や食事と同じく、人間に必要な時間でしょう。

ですが、「後から振り返ったとき、**この時間は何をしていたのか思い出せない**」「なんとなく時間が過ぎてしまった」という時間は、目的がない状態ですよね。**リフレッシュという目的すらないから、リフレッシュすらできていないわけです。**

浪人回避大全
「志望校に落ちない受験生」になるために
やってはいけないこと

早稲田大学に9浪して合格した多浪生の著者に学ぶ、「受験でやってはいけないこと」をまとめた1冊です。実際にやった結果9浪してしまったことをまとめているため、説得力があります!
濱井正吾(9浪はまい)著、日本能率協会マネジメントセンター

ＰＡＲＴ１でも説明したとおり、結果を出す人はつねに「目的意識」をしっかり持っているものです。それと同じで、**時間の使い方がうまい人とは、その時間の「目的」をしっかりと定義できる人**なのです。

だからこそ、みなさんにおすすめなのは、**毎週、自分のタイムスケジュールを考え、そのタイムスケジュールどおりに進められたのかどうかをチェックする**ということです。

ＰＡＲＴ２の「スケジュールを決めない」というのと矛盾していると思うかもしれませんが、そうではありません。

ＰＡＲＴ２の「嫌い×苦手」の勉強は、「始める」ことが最大のハードルでした。だからスケジュールを決めるのではなく、習慣化するのが先決でした。

一方、ここで説明している**「嫌い×得意」の勉強は、なるべく短い時間で終わらせる必要があります**。だから**タイムスケジュールを決めておくことで、上手な時間の使い方を身につける必要があるのです**。

もちろん、うまくいかないのが前提です。スケジュールどおりにいくことなんて稀だと思います。

でも、そういう場合であっても、しっかりと「**この時間はこういうことをしよう**」**と決めて、「あ、いまはこれをやらなきゃ」と考えられるようになると、時間にメリハリをつけることができるようになります。**

タイマーで時間にメリハリをつける

そのためには、PART2でも説明した「**スマホで決まった時間にタイマーをセットしておく**」のがおすすめです。「19時からはこれを勉強する」と時間で区切って自分の生活を整理しておくと、勉強が効率的になるはずです。

みなさんの学校では、授業開始前にチャイムが鳴りますか？　多くの学校で、「いまから授業だよ！」「これで授業は終わりだよ！」「昼休みだよ！」ということを教えてくれる「音」が鳴ると思います。

あれと同じで、**決まった時間から勉強できるように、アラームが鳴るような設定をしておく**ということです。そして、日々それに沿って行動するのです。

このように決めておけば、PART2でお話しした「習慣化」ができるようにもなります。

たとえば、19時から夕食で、そのあとは自由行動という人なら、**「夕食を食べて20時からは、絶対に勉強する」というルールを課し、その時間にアラームを鳴らすようにする**のです。

20時になったら、チャイムのようにアラームが鳴って、「さあ勉強だ！」という気分に無理やりするのです。で、とにかく**20時になったらやる気がなくても、とりあえずは机の前に座る**ようにする。

とにかく、騙されたと思って、実践してみてください。最初のうちはつらいかもしれませんが、**不思議なことに1週間も続ければ、慣れてきます。**

その代わり**最初の1週間は、家族に「20時から勉強するから！」と宣言しておく**などして、とにかく実践するようにするのです。

そうすると1週間、なんとか続けられて、そこからはうまく習慣にできるようになるはずです。

メリハリをつけるために、ぜひやってみましょう！

STEP 1 ポイント

- **「嫌い×得意」の勉強は、時間をかけずに結果を出せるように工夫する**
- **そのために、まずは「時間の使い方」がうまくなることが必要**

STEP 2

「逆算思考」で考える

――「ムダな勉強」をとことん排除して「効果的な努力」だけしよう

時間のメリハリをつける方法を知ってもらったところで、次は計画の説明をしたいと思います。

が、その前にみなさん、1つご質問です。みなさんは、**「努力が続く人とそうでない人とは、先天的に決まっている可能性がある」**という話を聞いたことがあるでしょうか?

ヴァンダービルト大学のマイケル・トレッドウェイが率いる研究チームが『Journal of Neuroscience』に寄稿した研究論文で、ある結果が紹介されました。

これは**「努力できる人」**と**「そうでない人」**の違いを脳科学的に分析する実験でした。どんな結果だったのか、次の漫画をご覧ください。

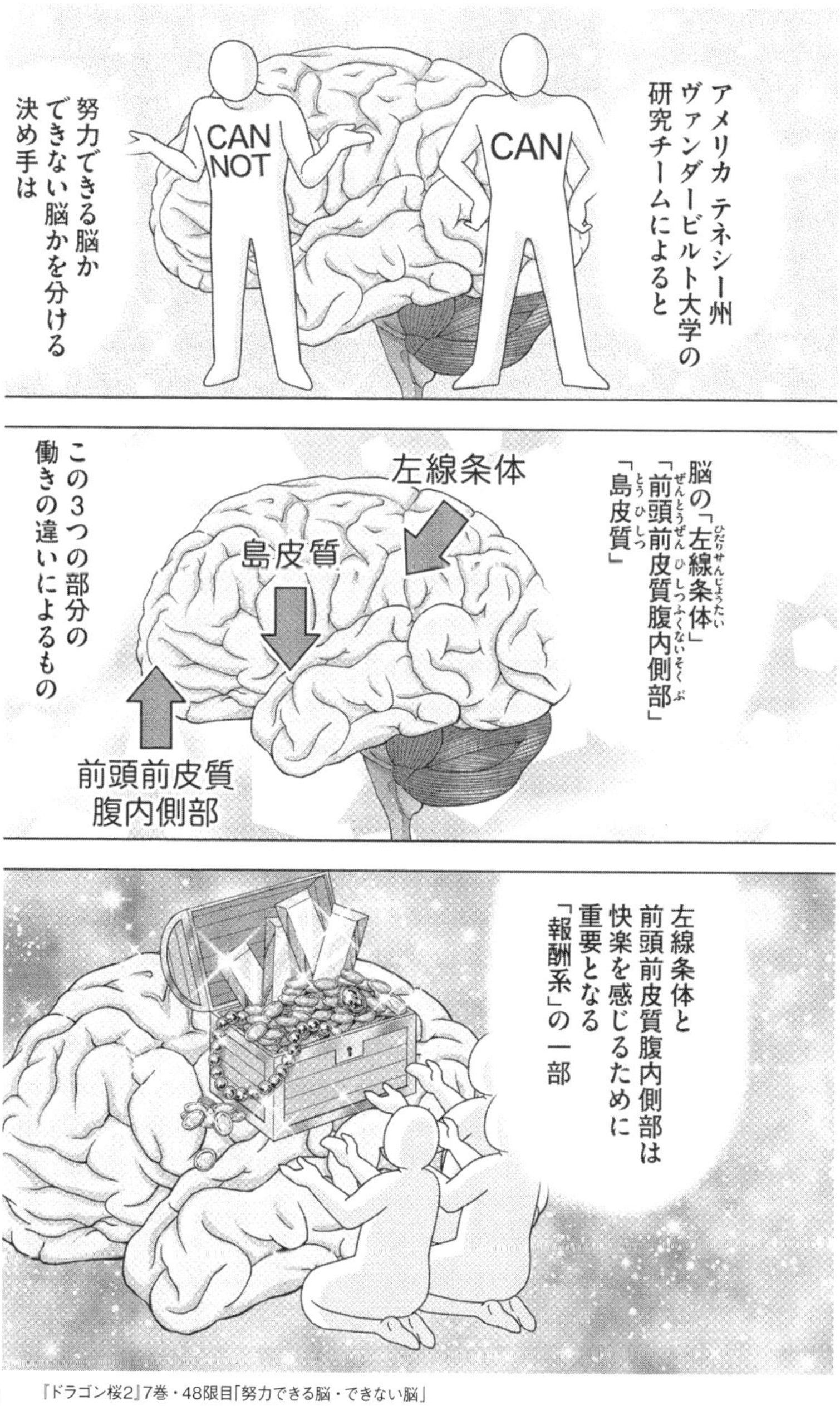
アメリカ テネシー州
ヴァンダービルト大学の
研究チームによると
CAN NOT
CAN
努力できる脳か
できない脳かを分ける
決め手は
脳の「左《ひだり》線条体《せんじょうたい》」
「前頭《ぜんとう》前《ぜん》皮質《ひしつ》腹内側部《ふくないそくぶ》」
「島《とう》皮質《ひしつ》」
左線条体
島皮質
前頭前皮質
腹内側部
この3つの部分の
働きの違いによるもの
左線条体と
前頭前皮質腹内側部は
快楽を感じるために
重要となる
「報酬系」の一部

『ドラゴン桜2』7巻・48限目「努力できる脳・できない脳」

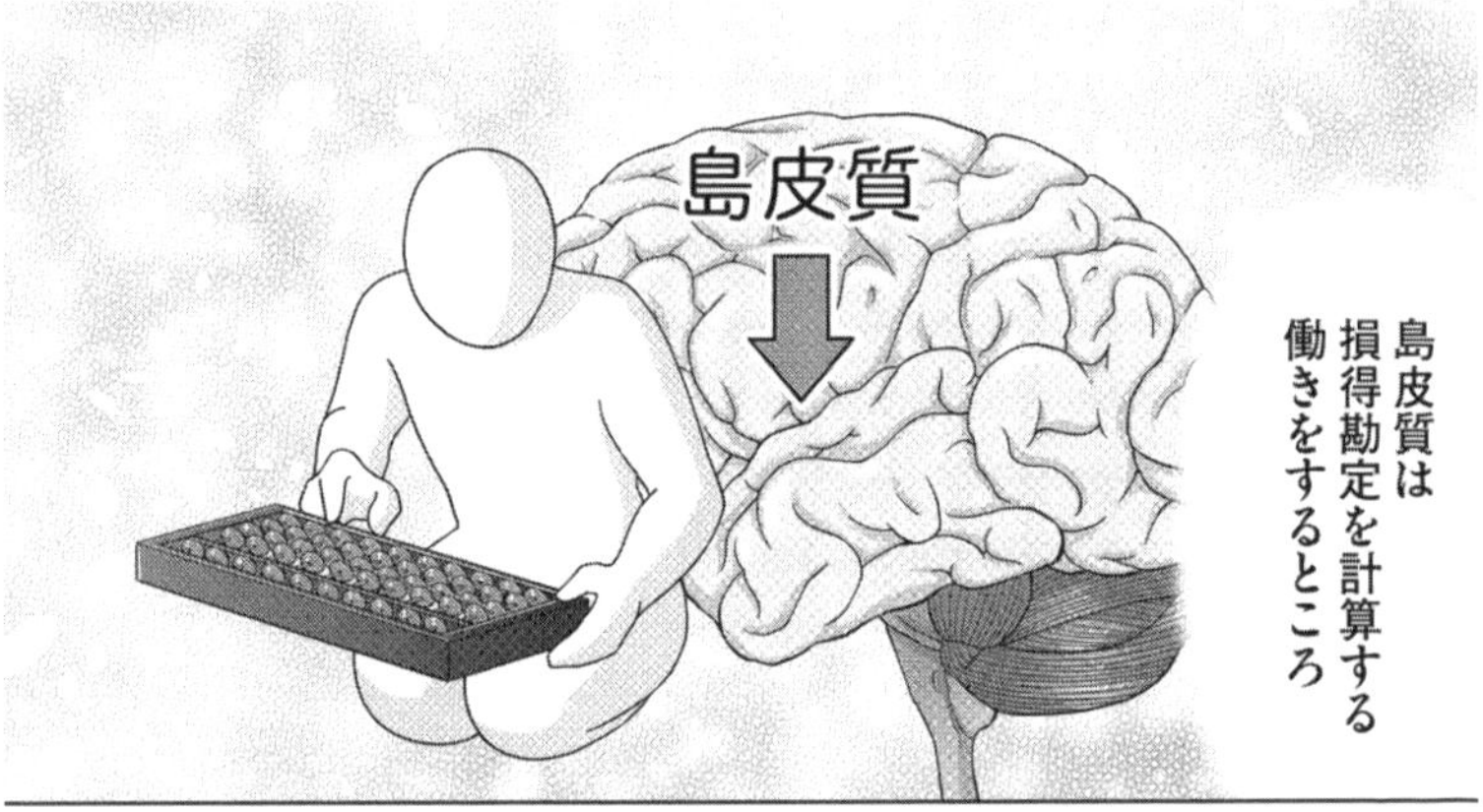
島皮質は
損得勘定を計算する
働きをするところ
島皮質

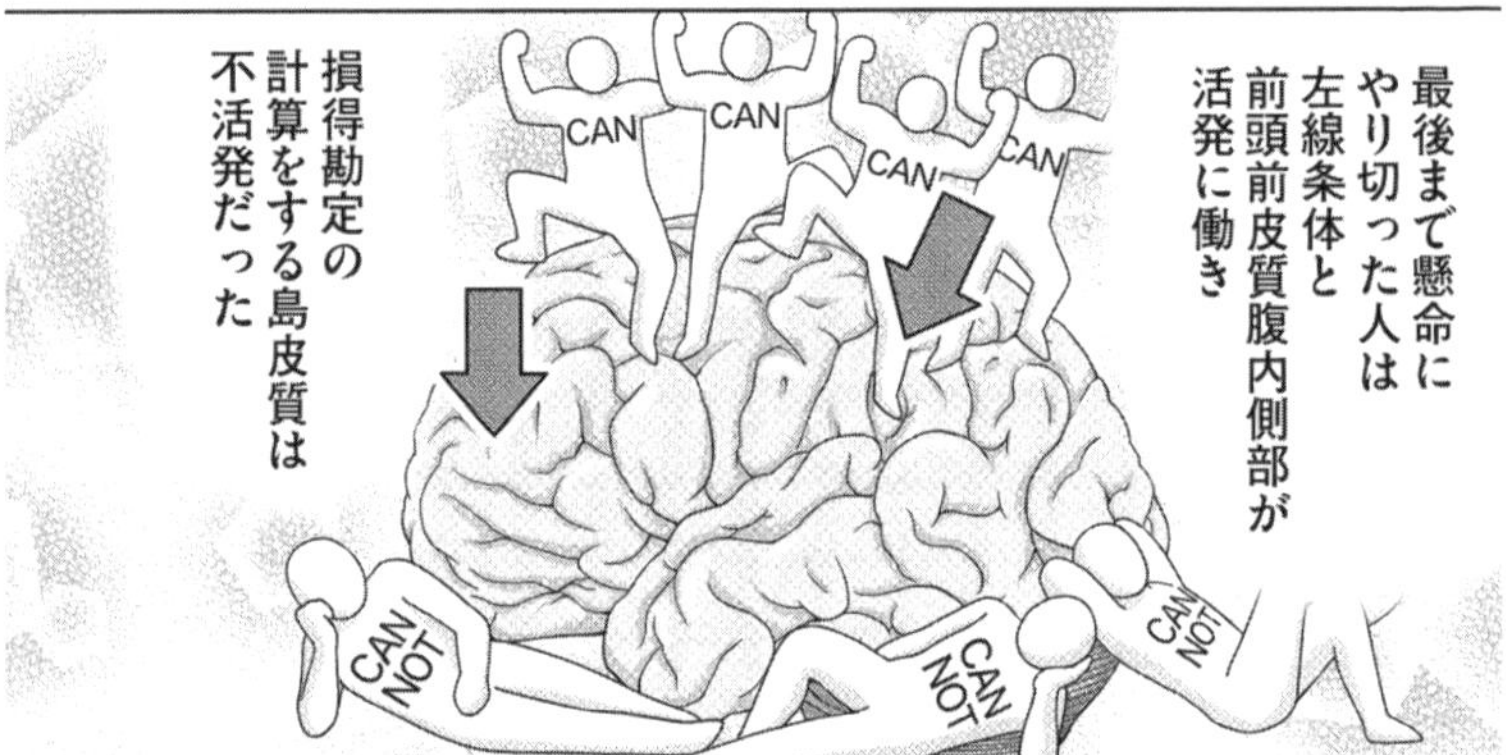
最後まで懸命に
やり切った人は
左線条体と
前頭前皮質腹内側部が
活発に働き
損得勘定の
計算をする島皮質は
不活発だった
CAN
CAN
CAN
CAN
CAN NOT
CAN NOT
CAN NOT

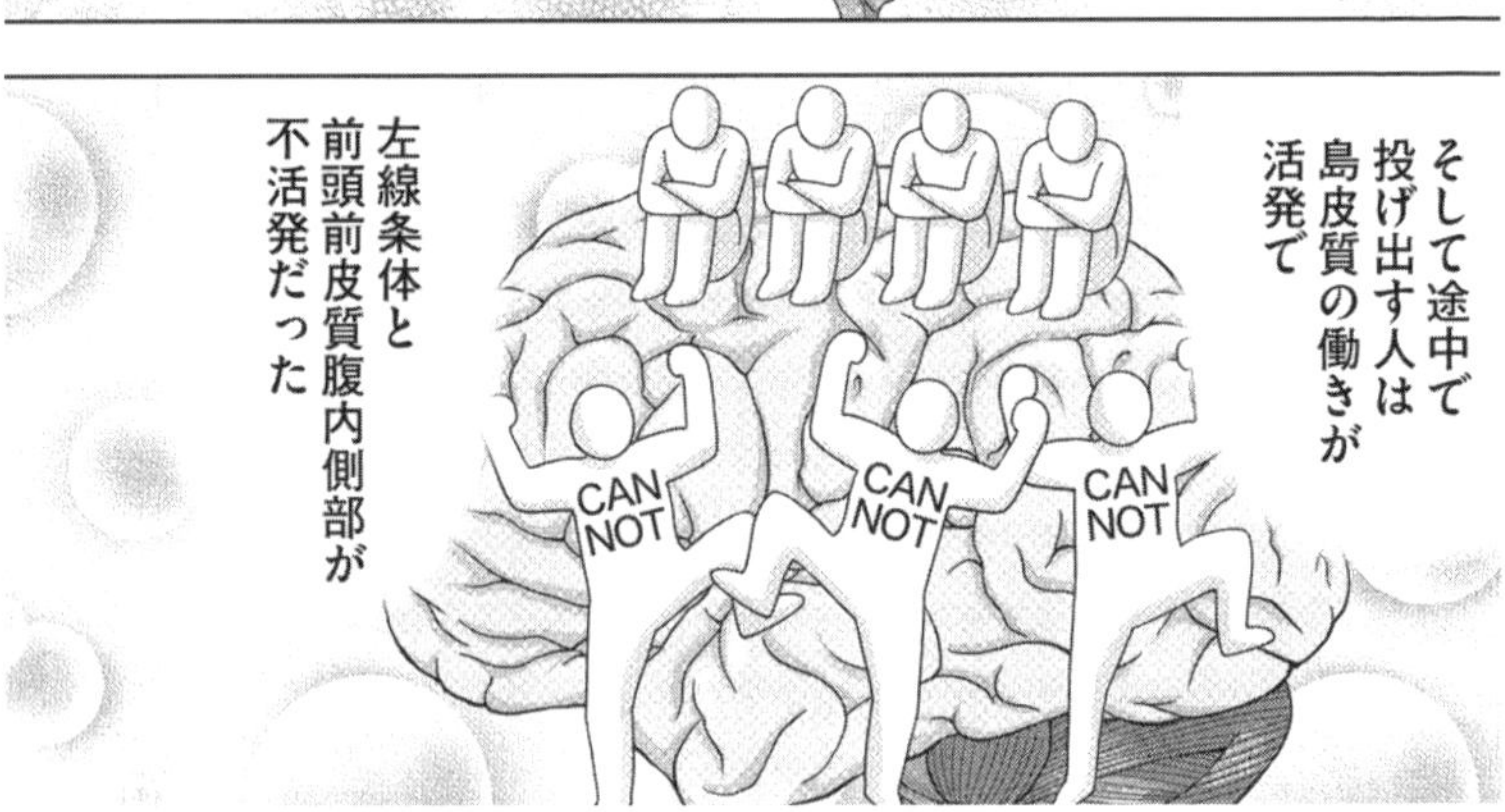
そして途中で
投げ出す人は
島皮質の働きが
活発で
左線条体と
前頭前皮質腹内側部が
不活発だった
CAN NOT
CAN NOT
CAN NOT

ボタンを押す
実験では被験者に
「これをやったら
1ドル渡す」と
告げられていた
実験後にわかったことは
努力できる人は
「線条体」や「腹内側部」に
「これをやったら1ドルが
手に入る」といった
「報酬予測」に働きかけることで
CAN
CAN
脳内で多くの
快楽を得て
それが努力することの
推進力になっている
努力できない人は
「報酬予測」の機能が
あまり働かない
CAN NOT
CAN NOT
キィ
加えてものごとの
損得勘定を計算する
島皮質の働きにより
「こんな努力をしても無駄」
「割に合わない」と
ブレーキをかけてしまう

結論として「努力できる人」は何かを行うことで生じる報酬や成果を感じる脳の機能が高く
加えて損得を冷静に計算する機能が鈍い人

「努力できない人」は何かを行うことで生じる報酬や成果を感じる脳の機能が低く
損得を冷静に計算する人
CAN
CAN NOT
CAN

つまり、**努力が続かないで三日坊主になってしまいがちな人は、「損得を考える思考が先天的に発達してしまっている人」**だと言えるのです。

さて、ここからが本題なのですが、僕たちはこの研究と同じ実験を東大生10人以上にやってもらいました。東大生は果たして、努力できる脳の持ち主なのかそうではないのかを調べたのです。

その結果は意外なものでした。僕たちは「努力できる脳」の人が多いのではないかと考えていたのですが、そうではなく**「努力できない人」のほうが少し多いくらいで、**ほとんど均等に分かれる結果になりました。

つまり、**勉強ができるかどうか、東大に入れるかどうかと、「努力できる脳か、努力できない脳か」には、強い関係はなかった**のです。

「努力できない人」が東大に受かる理由

ではなぜ、「努力できない人」でも、東大に合格できているのでしょうか？　それは彼ら彼女らの**「努力の仕方」**を聞くと納得できます。

損得感情が強い人って、実は効率的に物事を進めることに長《た》けている人なのです。

たしかに「努力できる脳」の東大生より勉強時間は短いのですが、その分**「いかに効率的に、いかに短い時間で勉強するのか」**ということを徹底的に考えている場合が多いのです。

「こんなことやってても意味ないんじゃないか?」と考えてしまいがちということは、逆に言えば**「ムダなことはしないで、ゴールにきちんと近づく努力をしよう」と考える能力が高い**と言えます。

『ドラゴン桜』にはこんなシーンがあります。

なんとなく…
わかるような…
基本的に
ヤなやつの集まりよ
東大なんて…
人が作ったものに
ちゃっかり乗れば
いいなんて…
人間がセコいわ
学校における
人格教育という
観点からすれば
問題があるのでは…
そもそも
面倒臭いという
発想を肯定して
しまうことには
疑問を感じます…
人間の根本的性質を
教育で矯正しようなんて
思い上がりも甚だしい
しかし…
いいか…
人間はすべて
面倒臭がり屋…
だから
創意工夫
するんだ

『ドラゴン桜』12巻・108限目「面倒臭い」

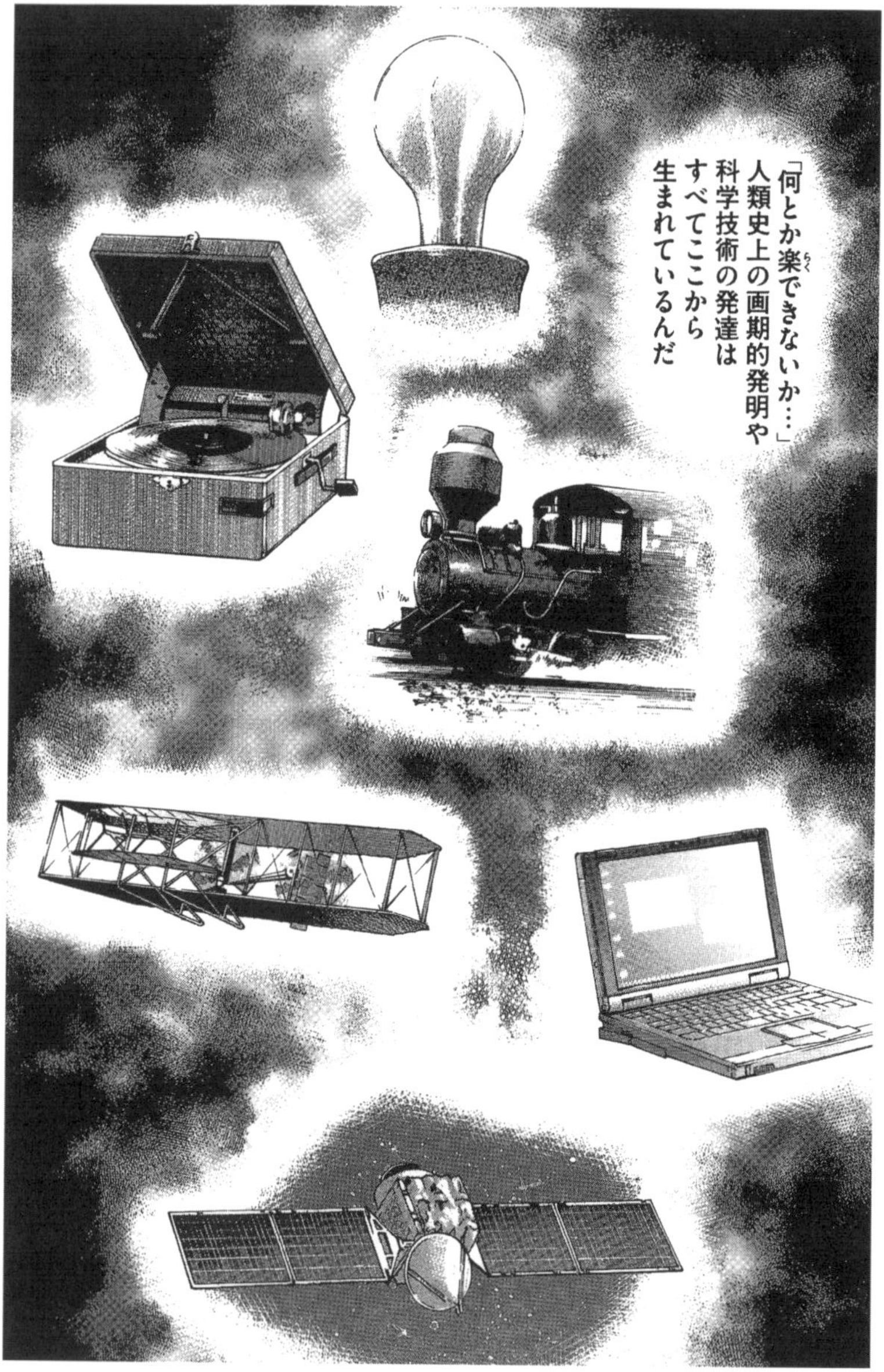
「何とか楽《らく》できないか…」
人類史上の画期的発明や
科学技術の発達は
すべてここから
生まれているんだ

「面倒くさい」

そう考えることは悪いことではなく、むしろ面倒くさいと考えるからこそ、努力を**効率化できるわけです。**

逆に努力できる脳の人の中には、**時間ばかりかけてしまって結果が出ない**というタイプもいます。「面倒くさい」は悪いことではないのです。

そして、僕たちはとくに、**「嫌い×得意」の勉強、つまり時間をあまりかけないほうがいい分野に関しては、きちんと「面倒くさい」と思う必要があるのです。**

「面倒くさがり」東大生の思考法

では、面倒くさがりなのに東大に受かった人は、どんなことをやっているのでしょうか。それが「逆算」です。このタイプの東大生たちのいちばんの特徴として、**「ゴールを先に見て、逆算していく」という思考法**があるのです。

たとえば、資格試験や入試に合格したいと考えたとき、彼らはまず**過去問**を見ます。

解けなかったり、よくわからないところが多かったりしてもいいんです。

とにかく過去問を見て、「ああ、これが解けるようにならなきゃならないんだな」と、勉強した先でどんな問題を解けるようになる必要があるのかを意識している場合が非常に多いです。


これってそこまで時間がかかるものではないんですが、その後の勉強の質が大きく変わる重大な行為です。

普段、勉強している中でも「この問題は、過去問のあの問題が解けるようになるために必要なはずだ」という「ゴールに近づいている実感」が湧きやすくなり、それによって「これって意味あるのかな？」と考えることが少なくなるからです。

もちろん、逆に「これは自分には必要ないものだ」「ここは力を入れなくてもいい部分だ」と、不要な勉強を排除することもできます。

ということで、短時間で結果を出したい「嫌い×得意」な勉強におすすめなのは「逆算」思考です。ゴールからいまを考えていくという逆算の思考は、「ムダ」を省いてくれるからです。

STEP
2
ポイント

「面倒くさい」という感情は効率化につながる

ゴールから「逆算」することで、ムダを徹底的に排除した勉強ができる

よく人は、「とりあえず今日はこの勉強をしよう」「明日はこの勉強をすればいいかな」と気分によって自分のやることを決めてしまいがちです。でもそのやり方では、ムダが多いです。

だからこそ、「1年後にはこういう状態になっていたい」と長期的な視野で目標を考えるのです。

そこから「1年後のために、今月はこの本をやっておきたい」「今月中にやることを考えると、今日はこれを終わらせないといけない」と、逆算思考で勉強を組み立てるほうがいいわけです。

そうすれば、意味のない努力ややらなくてもいい苦労をすることがなくなりますし、精神的にも「自分はいま、ゴールに向かって頑張っているんだ」という意識で努力を組み立てることができます。

東大生の考え型
「まとまらない考え」に道筋が見える

高3の夏まで野球部に全力を捧げていた著者が東大に合格できたのは、思考の「型」に理由がありました。そんな東大生の思考回路を再現した「フレームワーク」を提示した1冊です。東大生と同じように物事を理解できるようになることを目指します。

永田耕作著、日本能率協会マネジメントセンター

STEP 3

考える時間を削る

――「すでに答えが出ている問題」は、その答えをパクろう

次は、「考える時間を削る」です。逆算思考で考えたときに、**いちばん削れる時間こそ、実は「考える時間」なのです。**

『考える人』という芸術作品があります。オーギュスト・ロダンによって制作された彫刻で、「椅子に腰かけながら肘をついている人」の彫像と言えばイメージが湧くのではないでしょうか?

この『考える人』はロダン自身を表しているとか、彫像制作の着想元になったダンテの『神曲』の主人公ダンテを表しているとか、さまざまなことが言われているらしいのですが、何が正しいのかははっきりとはわかっていません。

ここで大事なのは『考える人』という「人間が思索にふける様子」を表した像が、**「考える」という行為を「椅子に腰かけながら頬杖をつき、どこかを見つめながらじっくり取り組むもの」であると表現し、そしてそれが全世界で受け入れられているという**ことです。

「考える」とは「不明な物事について理解しようと努めること」

さて、みなさんは「考える」といったとき、どのような行為をイメージするでしょうか？言ってしまえば、この「イメージするという行為」自体が「考える」に入るわけですが、どうすれば**「考える」という行為を完了させる**ことができるのでしょうか？

「一口に考えるといっても、いろいろなあり方があるだろう」と思われる方もいるかもしれません。しかしあえて乱暴な定義づけをするのであれば、**「考える」とは「不明な物事について理解しようと努めること」**なのではないかと思います。

ある問題がわからないから考える。彼女の気持ちがわからないから考える。今日の夕食の内容を考える。どれもこれも、「どう振る舞えばいいかわからないこと」、もしくは「何が正解かわからないこと」に正解を出すための試みであると言えます。

ある問題に対して答えが浮かんでいないときに考えてみるということ自体は、問題解決のために適切なアプローチと言えるかもしれません。

◎ 考えても「ムダ」なことがある

しかし、考えるといっても、「あること」をはっきりと自覚していなければ、その時間はまったくのムダになってしまいます。

それは、桜木先生が語ってくれています。

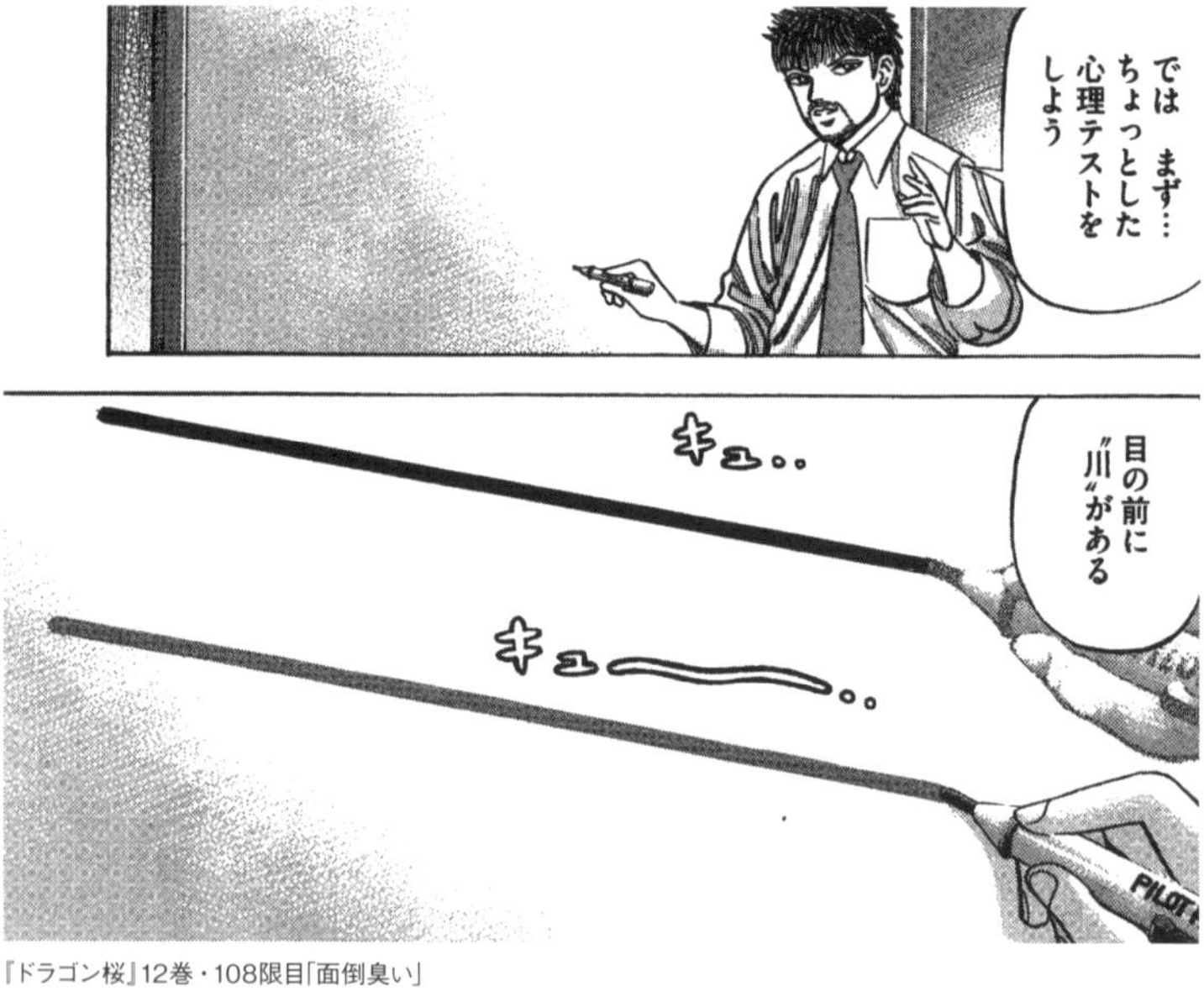

では　まず…
ちょっとした
心理テストを
しよう
キュ。。
目の前に
〝川〟がある
キュ――。。
PILOT

『ドラゴン桜』12巻・108限目「面倒臭い」

川幅は約20m
流れは遅く深さは最大で腰のやや下ぐらいまでだが上流にも下流にも橋は見当たらない
向こう岸にどうしても渡りたい…さあ井《い》野《の》先生どうする…?
どうって…橋はないけど渡らなきゃいけないんでしょ
濡れるのはイヤだけど靴を脱いで川の中を歩いて渡るわね

高原先生も宮村先生も川の中を…
え…ええ そうですね 渡らなくてはならないのなら
なぜそうするのか… その理由を言い当ててやろうか
え…
川を渡る術《すべ》… 例えば橋を探すのが面倒臭いから…
違うか…?
あ…
ああ…まあ そういうことね
では… 同じ質問を東大生にしたらどうなるか…
ほぼ全員こう答えるだろう…

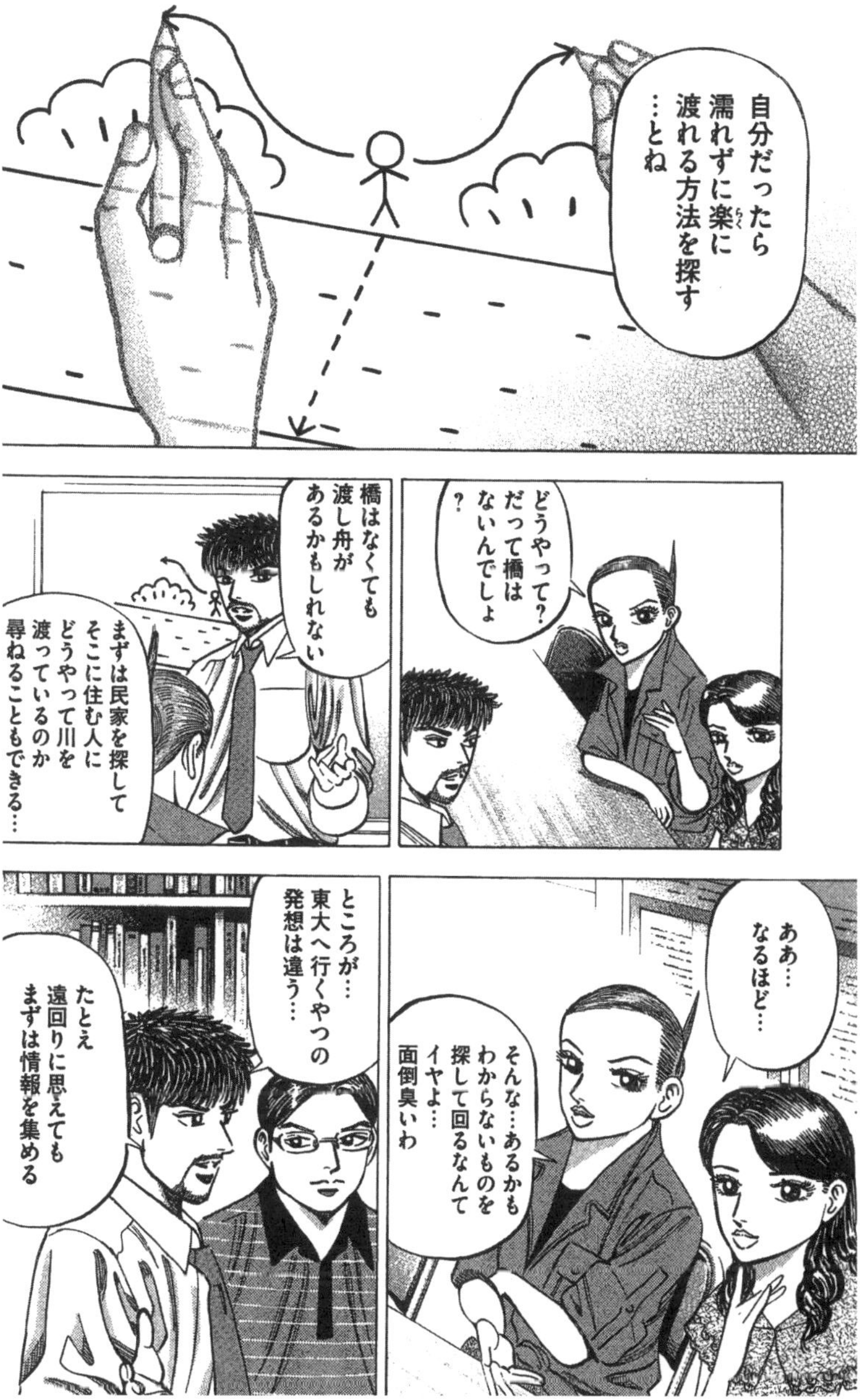
自分だったら濡れずに楽《らく》に渡れる方法を探す…とね
どうやって？だって橋はないんでしょ？
橋はなくても渡し舟があるかもしれない
まずは民家を探してそこに住む人にどうやって川を渡っているのか尋ねることもできる…
ああ…なるほど…
そんな…あるかもわからないものを探して回るなんてイヤよ…面倒臭いわ
ところが…東大へ行くやつの発想は違う…
たとえ遠回りに思えてもまずは情報を集める

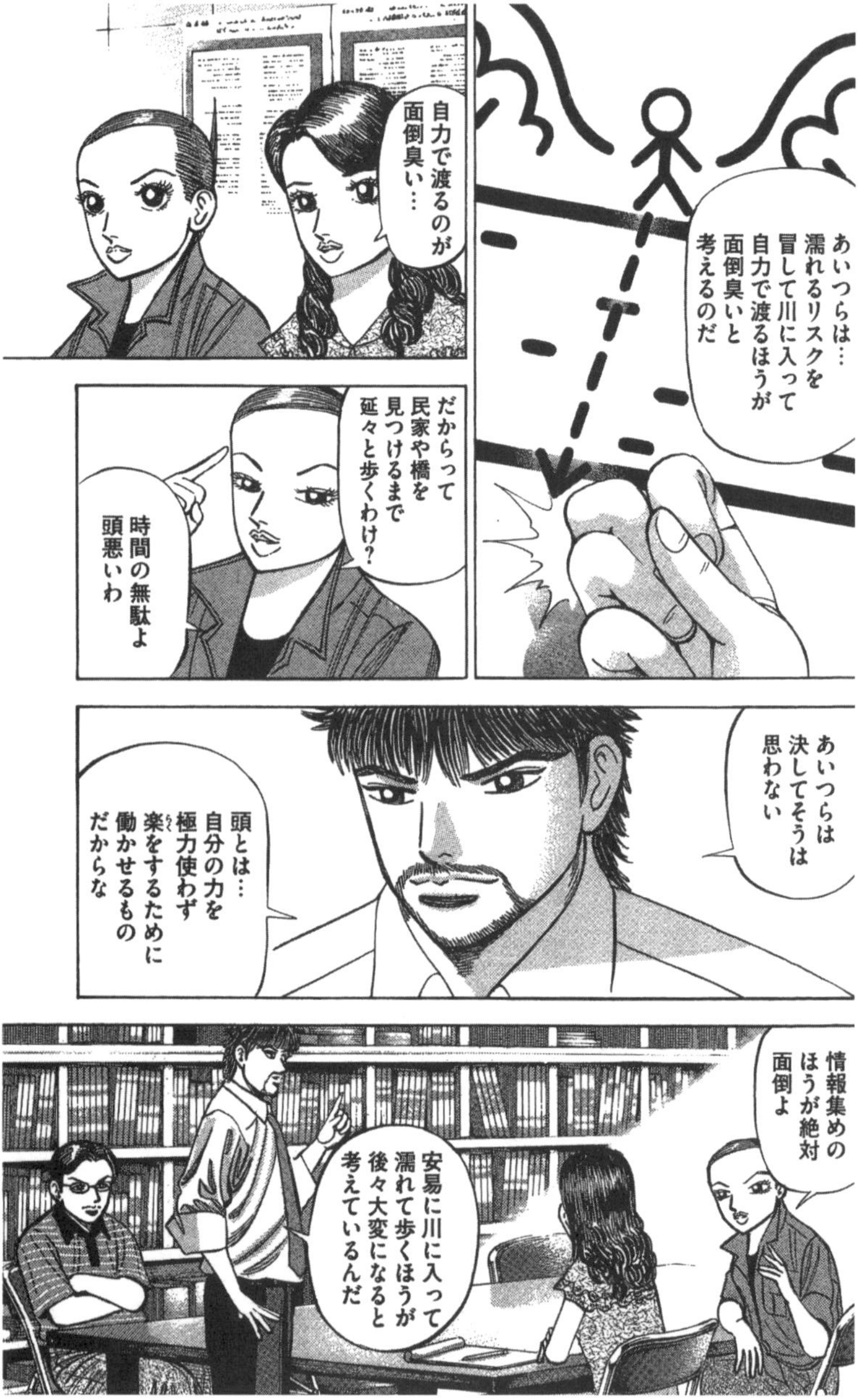
あいつらは…濡れるリスクを冒して川に入って自力で渡るほうが面倒臭いと考えるのだ
自力で渡るのが面倒臭い…
だからって民家や橋を見つけるまで延々と歩くわけ？
時間の無駄よ頭悪いわ
あいつらは決してそうは思わない
頭とは…自分の力を極力使わず楽《らく》をするために働かせるものだからな
情報集めのほうが絶対面倒よ
安易に川に入って濡れて歩くほうが後々大変になると考えているんだ

今の話の中には
東大型も私大型にも
共通するキーワードが
ひとつ含まれている
それは
〝面倒臭い〟
つまり…
どんな人間でも
面倒臭いことは嫌い…
できるだけ楽《らく》をしたい
生き物なのだ
しかし
起点が同じでも
そこからの発想は
違ってきてしまう
一方は…橋や舟を
探して遠回りするのは
面倒臭い
一方は…川に入って
自力で渡るのは
面倒臭い
この両者の違いは
情報の大切さを
認識しているかだ

さっき井野先生は指導方針を自分で考えると言った…
これは色々と指導法を調べたりするのは面倒臭いと考えるからだろ
そ…それはそうよ
調べたり資料探したりするの面倒臭いじゃないそれより自分の経験をもとにして考えたほうが…
そういう場合…東大出たやつは違う…
彼らは…自分で新たに考えることが面倒臭いのだ
だから人がすでに考えていて効果のあるものを探しそれを利用したほうが楽《らく》で効率的だと考えるんだ

このように、**すでに「答え」がある物事について考えても、あまりいい結果にはならないのです。**考えている事柄が、**「本当に考えて答えを出す必要があるものなのか」を疑うことが必要**なのです。

たとえば何か数学の問題があったとして、その問題を1時間考えて、成績がよくなるのでしょうか？　別にそんなことないですよね。3分考えて答えを思いつかないなら、模範解答を見ればいいわけです。アイデアが浮かばないなら、誰かに聞けばいいのです。

「この時間に、何の意味があるのか」。そう疑う目線を持つことが重要です。その中で、**「考える」時間はとてもムダが多い**ので、ぜひ真っ先に削ってもらえればと思います。

STEP 3 ポイント

- **答えがある事柄を「考える」のは、時間のムダ**
- **「考える」前に情報を集め、すでに答えにたどり着いている人を探す**

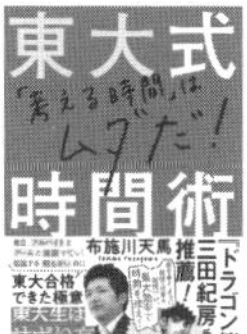

東大式時間術

著者が毎日、アルバイトとゲームとマンガで忙しくしていたのに東大に合格できた理由は、時間の節約術でした。「考える時間」を短縮して勉強する方法を伝授します。
布施川天馬著、扶桑社

STEP 4

アウトプットを重視する
――科学的に証明された「頭がよくなる瞬間」を増やそう

最後は、「アウトプットを重視する」です。

「はじめに」でもお話ししたとおり、僕たちは「偏差値が低かった、『ドラゴン桜』のように合格した東大生たち」が集まっている集団です。

「でもそれって、ぜんぜん勉強してなかったからでしょ？」

「勉強したら成績が上がったんだから、地頭がよかったんじゃないの？」

そう考える人もいるかもしれませんが、そういうわけではないんです。

普通に毎日1時間は机に向かって勉強して、それでも成績がぜんぜん上がらずにつまずいてしまっていたタイプの人も多いのです。

きちんと勉強しているのになぜ成績が上がらないのか？　これは、**勉強の大部分が「見る」という行為で占められていたからです。**

「見る」だけの勉強は効率が悪すぎる

多くの場合、**成績が上がらない人の勉強というのは、ただ「見て」いるだけです。**

たとえばですが、英単語帳をみなさんはどう使っていますか？

成績が上がらない勉強をしている人は、**「英単語を見て、それで成績が上がった気になっている」**ということを繰り返している場合があります。同じように、参考書を読むだけの勉強や、教科書を眺めるだけの勉強をしていても意味がありません。

「見る」だけの勉強って、ぜんぜん学習効果がないのです。

はっきり言いますが、見ているだけで成績が上がるなら、その人は天才です。ドラマ『ドラゴン桜』で、細田佳央太さんが演じた原健太は、英語の辞書を丸暗記していましたが、そういう人は非常に稀です。

普通の人が英単語を覚えたかったら、自分で書いてみたり、使ってみたりしなければなりません。つまり、**アウトプット**です。

インプットとアウトプット。みなさんは聞いたことがありますか？

勉強には、大きく分けて2つのやり方があります。1つは**新しい知識や解法を覚えるインプット**、もう1つは**誰かにそれを説明したり、テストしたり活用したりするアウトプット**です。

そして勉強におけるインプットとアウトプットの黄金比率は3対7
インプット3 アウトプット7だ
3対7

『ドラゴン桜2』3巻・22限目「SNSを使え！」

そして、勉強というと「インプットがメイン」というイメージを持っている人が多いんですね。本を読んだり、先生の話を聞いたりするのが勉強である、と。

ですが、実はそれではダメなのです。コロンビア大学で行われたある実験の結果、**人間がものを覚えるためには「インプット3割・アウトプット7割」が黄金比だと判明しました。**

つまりは、本を読んだりプリントを見たり人の話を聞いたりしているだけではなく、**その2倍以上の時間を「アウトプット」に費やしている人のほうが、多くの知識を得て、その情報をずっと忘れないでいられた**ということです。

アウトプットが必要な理由

アウトプットというのは、**情報を「使う」**ことにほかなりません。

仕入れた情報を使って問題を**「解決」**したり、その情報を自分なりの言葉で人に**「説明」**したり、またはその情報を使って新しい**「質問」**を考えてみることを言います。

僕たちはよく**「インプットしないとアウトプットできない」と考えがち**です。知識量がないからテストで点が取れないとか、理解力がないからわからないとか、そういうことを考えてしまいがちです。

ですが、**知識があってもそれを応用してアウトプットする能力がないというケースは、非常によくある**のです。

数学で公式を覚えていたとしても、問題を見てその公式が必要だとわかるようになるためには、また別の訓練が必要ですよね。同じように、**実際に使ってみないとわからないことはとても多い**んです。

「頭がよくなる瞬間」をたくさんつくる

ところでみなさんは、人間の脳＝頭がよくなるのって、いつだか知っていますか?

教育学の世界では、**「人間の頭がよくなる瞬間はいつなのか?」**というのが脳の実験によって明らかになっています。

頭がよくなる瞬間……と聞くと、「授業を受けているとき」とか「本を読んでいるとき」というイメージがあると思うのですが、実は違います。
実際には**「アウトプットしたとき」**がいちばん、**頭がよくなる**のです。

たとえば、**問題を解く**とき。

問題を解こうとすると、人は自分の知識を**整理**して、インプットをどう活かそうかと考える必要があるわけです。

たとえば、**人に説明する**とき。

誰かに何かを説明するということは、自分でその背景や本質を理解していなければなりません。インプットをきちんと**整理**しなければ説明できず、また説明するタイミングでインプットを**整理**する必要が生まれてくるわけです。

たとえば、**質問**するとき。

自分がインプットした知識の中で穴になっている部分を探した上で、必要な情報が何なのかを**整理**する必要があります。


このように、**問題を解く**のも、**説明をする**のも、**質問をする**のも、**インプットの「整理」**が必要なんです。だからアウトプットのタイミングでこそ頭はよくなり、イ

「ドラゴン桜」式クイズで学ぶ東大思考
なぜブルーベリー農家は東京に多いのか?
「なぜブルーベリー農家は東京に多いのか?」のようなクイズをもとに、東大×ドラゴン桜で楽しく思考力が高まる脳力トレーニングの本です。クイズ感覚で楽しく、東大的な論理思考をマスターしてください!
宇野仙著、星海社

ンプットばかりやっていても意味がないのです。

アウトプット重視はインプットの質を高める

さらに、アウトプット重視の勉強にはもう1つの意味があります。**アウトプットを意識して勉強することには、インプットの質をよくする**という効果もあるのです。

たとえばみなさんが、**「今日の授業で習ったこと、家で教えてね！」**と家族から言われたとします。

このとき、みなさんは**授業を普段より前のめりで聴く**ことになりますよね。「授業の内容を、後で話せるようにしておかないと」と。

これは、**アウトプットを前提にインプットしたことによって、インプットの質が高くなった**ということです。

「後で自分が説明する時がくる！」

「この知識を活用するタイミングが後からくるんだ！」

そういう意識で話を聴くと、よりよく人の話を聴き、活かせる形で情報を摂取することができるというわけです。

このように、**アウトプットを中心にしておくと、勉強がどんどん効果のあるものになっていく**のです。

おすすめなのは、インプットだけではない形で勉強できるように、**アウトプットを勉強に組み込む**ことです。

教科書でも、『書きこみ教科書　詳説世界史』などの、読むだけではなく自分で書き込んだり問題を解いたりするものがあります。英単語などでもテストがついていたり、文字を赤シートで隠せたりするものもあると思います。

そういう本を買って勉強していくのがおすすめです。最初は答えられないかもしれませんが、それでもいいので、ぜひ実践していってください！

STEP 4 ポイント

人はアウトプットの瞬間に頭がよくなる

インプット：アウトプットの割合は「3：7」が黄金比

PART 3
「嫌い×得意」の勉強法

「面倒くさがり」でOK!

「最小の時間」で「最大の効果」をゲットする4STEP

STEP 1

- 「嫌い×得意」の勉強は、時間をかけずに結果を出せるように工夫する
- そのために、まずは「時間の使い方」がうまくなることが必要

STEP 2

- 「面倒くさい」という感情は効率化につながる
- ゴールから「逆算」することで、ムダを徹底的に排除した勉強ができる

STEP 3

- 答えがある事柄を「考える」のは、時間のムダ
- 「考える」前に情報を集め、すでに答えにたどり着いている人を探す

STEP 4

- 人はアウトプットの瞬間に頭がよくなる
- インプット：アウトプットの割合は「3：7」が黄金比

PART 4

「地頭」がよくなる習慣

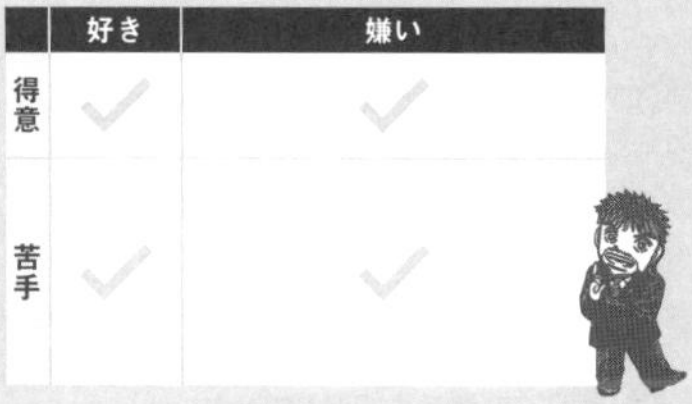

机に向かわなくてOK!

「なぜ？」をつなげる思考法で「生きているだけ」で頭がよくなる

STEP 1

自ら問いを立て、答えを探す

――日常生活をすべて「教科書」にしよう

さて、これまではマトリクスの位置に応じた勉強法を解説してきました。

これまで紹介してきた勉強法は、もちろんそれだけでもとても有効です。でも、これらの勉強法を支える「土台」がしっかりしていると、その効果はさらに何倍にも大きくなるのです。

そこでここからは、マトリクスを支える土台、いわば「あらゆる勉強を支える土台」を解説していきます。

まずＰＡＲＴ４では、「どのように勉強すれば頭がよくなるのか？」という学びの姿勢についてお話ししたいと思います。頭のいい人は、どのようにして学習を加速させているのでしょうか?

頭のいい人に共通するスタンス

まず、みなさんにお伝えしたいのは、頭のいい人に共通するスタンスです。頭のいい人は、実は**「目の前のことを、そのまま受け入れない」**という特徴があります。

どんな情報に対しても、**「この情報には、見えていない面があるんじゃないか」「何かしらの裏があるんじゃないか」**と考えて、しっかり目の前のことを**「解釈する」**習慣があるのです。

たとえば、『ドラゴン桜』の1巻のこのシーンはすごく印象的ですね。

逆に　都合の悪いところはわからないように隠してある
それでも頭を働かせるやつはそこを見抜いてルールを上手に利用する
例えば携帯電話……
え……
給与システム年金　税金保険……
みんな頭のいいやつがわざとわかりにくくしてロクに調べもしないやつから多く取ろうという仕組みにしている
つまりお前らみたいに頭使わずに面倒くさがってると……
一生　だまされて高い金払わされるんだ
『ドラゴン桜』1巻・4限目「社会のルール」

いいか！賢いやつはだまされずに得して勝つ
バカはだまされて損して負ける
だまされたくなかったら……損して負けたくなかったらお前ら……
勉強しろ

勉強する意義はいろいろありますが、その中でも**「騙されないために勉強する」**というのは、とても重いセリフですね。

「騙されないように、そのまま受け入れたりはしない」というのは、とても大事なことです。

目の前のことを「疑う」と頭がよくなる

たとえば、僕らはよく「うそだ！」と言うことがあると思います。

うそ、というのは言葉どおり受け取ると「真実でないこと」という意味ですね。辞書で調べてそう書いてあるのだから、そうに違いありません。

ですが、僕らが「ねえ！　英検1級合格した！」「うそ!?　すごい！　おめでとう！」という会話をしているとき、「本当は間違っているんでしょう」という意味で使っているでしょうか？　そんなことはありませんね。このときの「うそ」は**「本当に？」**という意味です。

この会話の中では、僕らは「うそ」を「本当に？」という意味で使っていたわけです。

みなさん、これが**頭を使うということ**です。

目の前にあることを、そのまま受け入れない。**裏の意図や、その背後に隠れている背景・前提・流れをきちんと理解すること**。これこそが「頭を使う」「考える」「思考する」ということなのです。

それを、**勉強だけではなく、世の中や社会に対して行うことができるか**、という点も重要です。だからこそ桜木先生は「騙されないために勉強しろ」と言ったのです。

東大生は、目の前のことをそのまま受け入れず、しっかり解釈をします。なぜなら**東大で出題される問題では、「目の前のことをどう解釈するか」が聞かれる**からです。

ただの知識を問う問題は、ほとんどと言っていいくらい出ません。そんなものよりも、むしろ「教科書に絶対に載ってる超絶有名な公式だけど、これがなぜ成立するのか、わかりますか？」とか、「中学校で習うこの英単語、絶対に何百回と見たことあると思うけど、本当はどういう意味なのかわかりますか？」とか、そういう**「当たり前」の裏側を問う問題が多い**のです。

7日間で突然!
頭が良くなる超勉強法
【ドラゴン桜公式副読本】

『ドラゴン桜』主人公の桜木先生が、たった7日間で頭がよくなる勉強法を特別講義した1冊です。いろいろな能力を一気に身につけることを目的に書かれていますので、ぜひご覧ください!
桜木建二著、SBクリエイティブ

日常生活の「なぜ？」を大切にする

そして、そのように当たり前の裏側を知るために重要なのは、**「なぜ？」と考えることです。**

つねに物事を疑い、疑問を持ち、「なぜ？」と思考する。そういう姿勢のある人は、絶対に頭がよくなっていきます。逆にそれがないと、頭はよくならないのです。

『ドラゴン桜』の中にも、「なぜ？」と考えない生徒に対して、先生が**「だからあなたはバカなのだ！」**と一喝するシーンがあります。

『ドラゴン桜』5巻・44限目「屋外での授業」

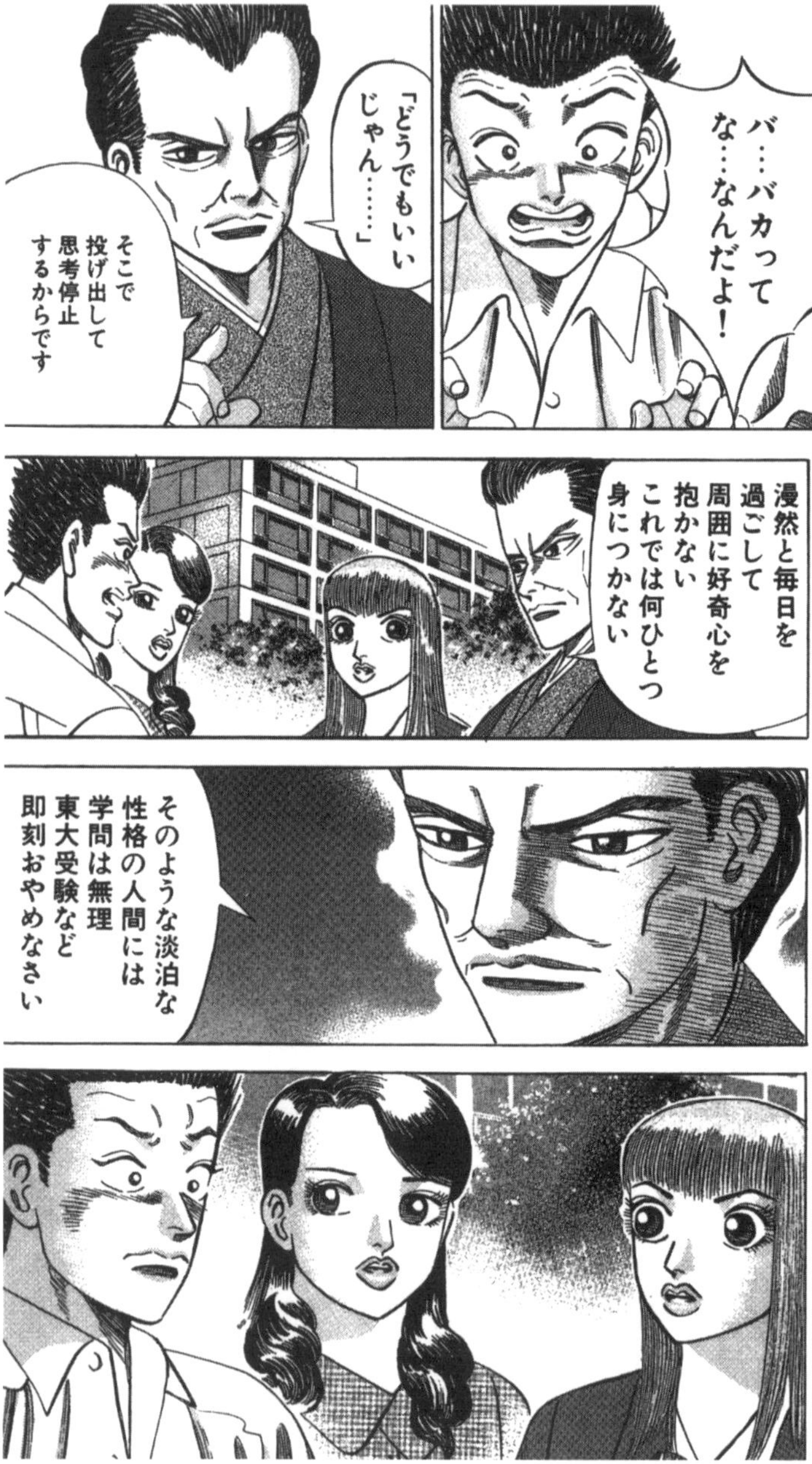
バ…バカってな…なんだよ！
「どうでもいいじゃん……」
そこで投げ出して思考停止するからです
漫然と毎日を過ごして周囲に好奇心を抱かないこれでは何ひとつ身につかない
そのような淡泊な性格の人間には学問は無理東大受験など即刻おやめなさい

いかがでしょうか？　このシーンはとても印象的で、かつ重要です。

たとえば以前、僕の教え子の１人が、「制服」を「生服」と書いてきたことがありました。「制」の字が出てこなかったのです。

でも、「制服」はなぜ、「制」の字を使っているのでしょうか？「制」は、制限や制度の「制」ですよね。つまりは、学校やチームなどでその服を着ることが決められているものだから、「制服」というわけですね。これがわかっていれば、「生服」と書くことはなかったでしょう。

ただ覚えているだけでは、意味がありません。知識や情報に対してしっかりと**「なぜこうなっているんだろう？」と考える**ことが重要なのです。与えられた情報を、ただそのまま鵜呑みにするのではなく、**「なぜ？」と考えることで、頭はよくなる**のです。

目の前のことを、ただ漫然と目に入れて鵜呑みにしない。

「なぜ？」と考えて、より深く理解しようとする。

そういうアプローチこそが、頭がいい人がやっていることなのです。

これを言い換えると、「好奇心」とか「批判的思考力」なのかもしれません。どんな言葉であれ、**頭のよい人は「考える」ことから目をそらさない**。だから頭がいい人であり続けるわけなんです。

どんな物事でも、**「どうでもいい」と流さないことが必要**なのです。

東大の問題すら「日常の『なぜ？』」で解ける

それを証明するかのように、実は東大の入試問題は、ある程度の基礎知識を前提としつつ、「覚えているかどうか」を問う問題はほとんど出ません。

出題されるのは、「なぜ？」という問いです。

- なぜシャッター通り商店街が増えているのか？
- なぜ世界大戦は他の戦争と比べて甚大な被害が発生したのか？
- なぜ長野県と茨城県ではレタスが多く収穫できるのか？

これはすべて、東大の入試問題です。これらは、日常生活をただ「どうでもいい」と思って生きて、机の前に座って暗記しているだけでは解けません。

日常生活やニュース・教科書に書いてあることに対して「なぜ?」「どうして?」という疑問を向けないと答えられない問題なわけです。

「好奇心がないと突破不可能な試験」こそが「東大入試」だと言えます。

「なぜ?」と問い、その問題の答えをいかに出すのかという、**「自ら問いをつくり、答えを探す能力」を東大は求めている**のです。

この「なぜ?」を問う能力を身につけるために必要なのは、**いつでも問いを探し、答えを求める姿勢**です。

「なぜ?」と考えたときに、スマホで調べたり、人に聞いたり話したりして、答えを出そうと考える習慣を持っておくのです。

- どうして空は青いのか?
- 日常生活で何気なく使うこの英単語の意味は何なのか?

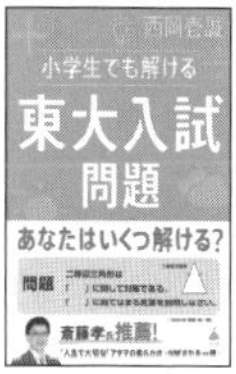

小学生でも解ける
東大入試問題

「あなたはいくつ解ける?」東大の入試問題のなかで、知識ではなく「思考力」で解けるものを厳選! なぜ、この問題が大人になるほど難問に変わるのか? 考えることの楽しさが味わえます。
西岡壱誠著、SBクリエイティブ

● なぜファストフード店は多店舗展開しているのか？

そういった、普段の生活でぶつかる疑問の答えを、そのままにしない。**そのままにしないで、調べて、考える習慣**を持つわけです。

まずはこうしたことから徹底してみましょう。この基礎の部分を徹底している人であれば、次のＳＴＥＰにも楽に行けると思います。

STEP 1 ポイント

● **与えられた情報を鵜呑みにせず、つねに疑ってみる**

● **日常生活でも「自ら問いをつくり、答えを探す」ことで頭がよくなっていく**

STEP 2

関連づけて覚える
――最強テクニックで記憶力を爆上げしよう

STEP1の「なぜ?」を使うと、どんどん頭をよくすることができます。いちばんわかりやすいところで言うと、**記憶力が上がっていきます。**

突然ですが、みなさんは人間の記憶のプロセスをご存じでしょうか?

『ドラゴン桜』の中では、理科の先生が「15個の単語を覚えられますか」と語るシーンがあります。

新潟、コーヒー、カメラ、手帳、電話、タクシー、温泉、コンビニ、歯ブラシ、橋、紅葉、猿、山小屋、お刺身、月、
黒板の単語を2分間見て順番に記憶して下さい
2分ね……
ヨーイ始め！
新潟……コーヒー……カメラ……手帳……
はい　では消します
オッケー
では矢島君3番目はなんでしたか？
3番目？

新潟
コーヒー
あ……カメラ
はい 正解
水野さん 5番目は？
えっーと……電話
矢島君 8番目は？
8番……
ええっと タクシー……
あれ……何だっけ？
コンビニです
ああっ そうだった！
水野さん 11番目は？

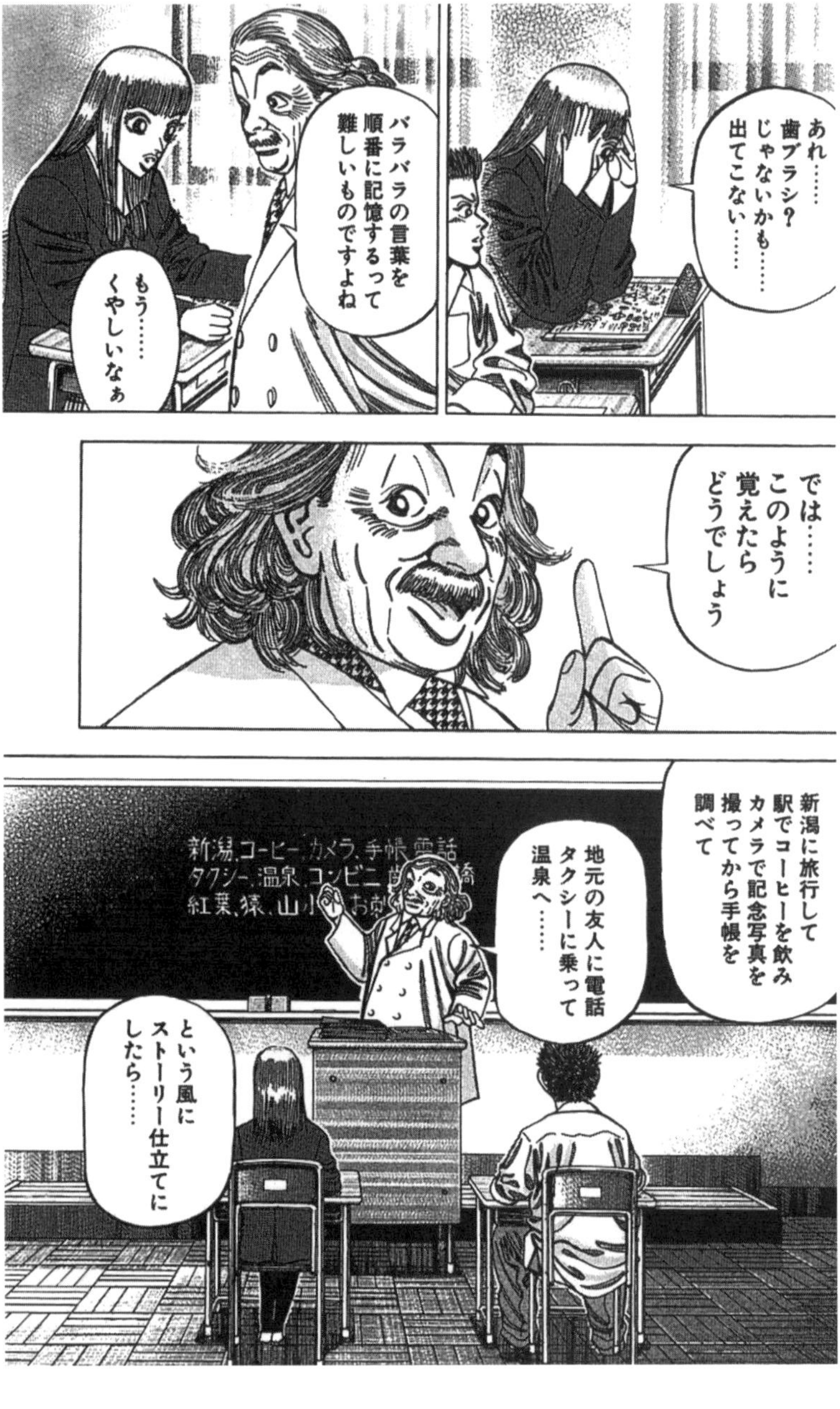
あれ……
歯ブラシ？
じゃないかも……
出てこない……
バラバラの言葉を
順番に記憶するって
難しいものですよね
もう……
くやしいなぁ
では……
このように
覚えたらどうでしょう
新潟、コーヒー、カメラ、手帳、電話
タクシー、温泉、コンビニ
紅葉、猿
新潟に旅行して
駅でコーヒーを飲み
カメラで記念写真を
撮ってから手帳を
調べて
地元の友人に電話
タクシーに乗って
温泉へ……
という風に
ストーリー仕立てに
したら……

あっ
なるほど
覚えやすいかも
頭に無理なく
入ってくるかもな
ですよね
言葉を無理に
詰め込むことは
大変苦痛でヒ
そうではなく
何かと関連付けて
鎖のように
連結させて覚える
連想して
イメージを
ふくらませるのが
大切でヒ
それを勉強に
応用したのが
このノートでヒ
知識をバラバラでなく
結びつけて覚える
グループで覚える方が
バラバラに覚えるよりも
覚えやすいだけでなく
理解度も深くなり
やすいでヒ

この漫画で語られているとおり、僕たちは、**「流れ」の中で「ひとまとまり」になっているほうが覚えやすい**という性質を持っています。

「全体→部分」で覚える

これは僕が東大の授業で学んだことですが、人間は人の顔を覚えるとき、1人ひとり個別で「Aくんの顔」「Bくんの顔」というふうには覚えないそうです。

そうではなく、僕たちには**「男性の顔」のイメージがあって、それと合わない個別の特徴のみを記憶する**のです。「Aくんはメガネをかけていたからこういう顔」「Bくんは普通より目が大きいからこんな顔」と、「男性の顔」のイメージと特徴を掛け合わせることで、記憶しているのです。

100~200人以上の顔を個別に覚えていくのは非常に大変な作業ですが、大枠になる1つの「男性の顔」と、ちょっとした「個別の特徴」の記憶であれば、少ない情報量でも問題なく対応できるというわけです。

「大枠のイメージ」と「個別の特徴」を覚えるというのは、この漫画で描かれているのとまったく同じプロセスです。

単体で覚えるのではなく、関連づけをして1つの流れ・大枠をつかみ、それに対して個別の特徴を強調して覚えていく。これによって効率的に覚えるのは、記憶のプロセスとして非常に理にかなっているというわけです。

そして、この**流れと個別の特徴を関連づけるのが、「なぜ?」という発想**なのです。

たとえば年号を覚えるときにも、まずは**「なぜ、この時代にこんなことが発生したのだろうか?」**と、時代背景・大枠のイメージを知ろうとします。

そのイメージができてくれば、別の年号を覚えるときに**「あ、だからこの時代にこんなことが起きたんだ!」**と関連づけられ、覚えやすくなります。

そうして記憶が増えてくれば、さらに別の事件について、**「この出来事があったから、次のこの出来事につながったのか!」**というように、すべてがつながってくるのです。

記憶力がいい人は、このように**「なぜ?」という鎖で物事を関連づけて覚えるテクニック**を持っているから、いろんな物事を覚えられるのです。

◎「関連づけ」は東大入試の必須テクニック

東大生は、このテクニックを利用するのが非常にうまいです。というか逆に、**このスキルを身につけていないと東大に入れない**んです。

なぜならこれは、東大の入試問題でも多く出題されている形式だからです。

たとえば世界史の問題であれば、「この時代を概観した上で、それらの細かい具体例を述べてください」というような問題が非常によく出されます。先ほど述べた、その時代のさまざまな出来事を関連づけて見えてくる**「大枠のイメージ」**と、細かい出来事、つまり**「個別の特徴」**がセットで聞かれるわけですね。

この問題を出題する意図は、おそらくですが**「これができていれば、これから先の勉強も問題なくできるだろう」**とみなされるからだと思います。

言ってしまえば、この問題ができるということは、**その分野について「男性の顔」のイメージを持ち、「個別の顔の特徴」を強調するスキルが身についているということ**となんですよね。

つまり、これからどれだけ「新しい男性の顔（＝新しい分野）」を見ても、だいたい覚えられるということの証明なのです。

だからこそ、「この問題が解けるということは、これから先、大学で新しい分野を勉強しても、きっと理解することができるだろう」と考えて、この問題を出題して点数が高かった人を合格としているのではないでしょうか。

そして、これに対応するために、東大生は記憶するときにいろんな工夫をしています。

今回は2つのテクニックを紹介します。

『ドラゴン桜』式　関連づけテクニック

1つめは、関連性を線でつなぐというやり方です。

東大生のノートや参考書を観察すると、「こことここに関連性がある」と思うところに線や矢印が引いてあり、さまざまな物事の関連性が明確になっていることが多いです。

「この出来事が起こったから、この出来事につながった」「これとこれはこんな関連性がある」というものを、線でつないでいくというわけです。

たとえば『ドラゴン桜』の中では、こんなノートが紹介されていました。

**東大生が教える
戦争超全史**

世界史を理解するうえで超重要な139の戦争の、背景と結果・影響を東大生がわかりやすく解説しています。こんな時代だからこそ学びになることも多いと思いますので、みなさんぜひ参考にしてみてください。
東大カルペ・ディエム著、ダイヤモンド社

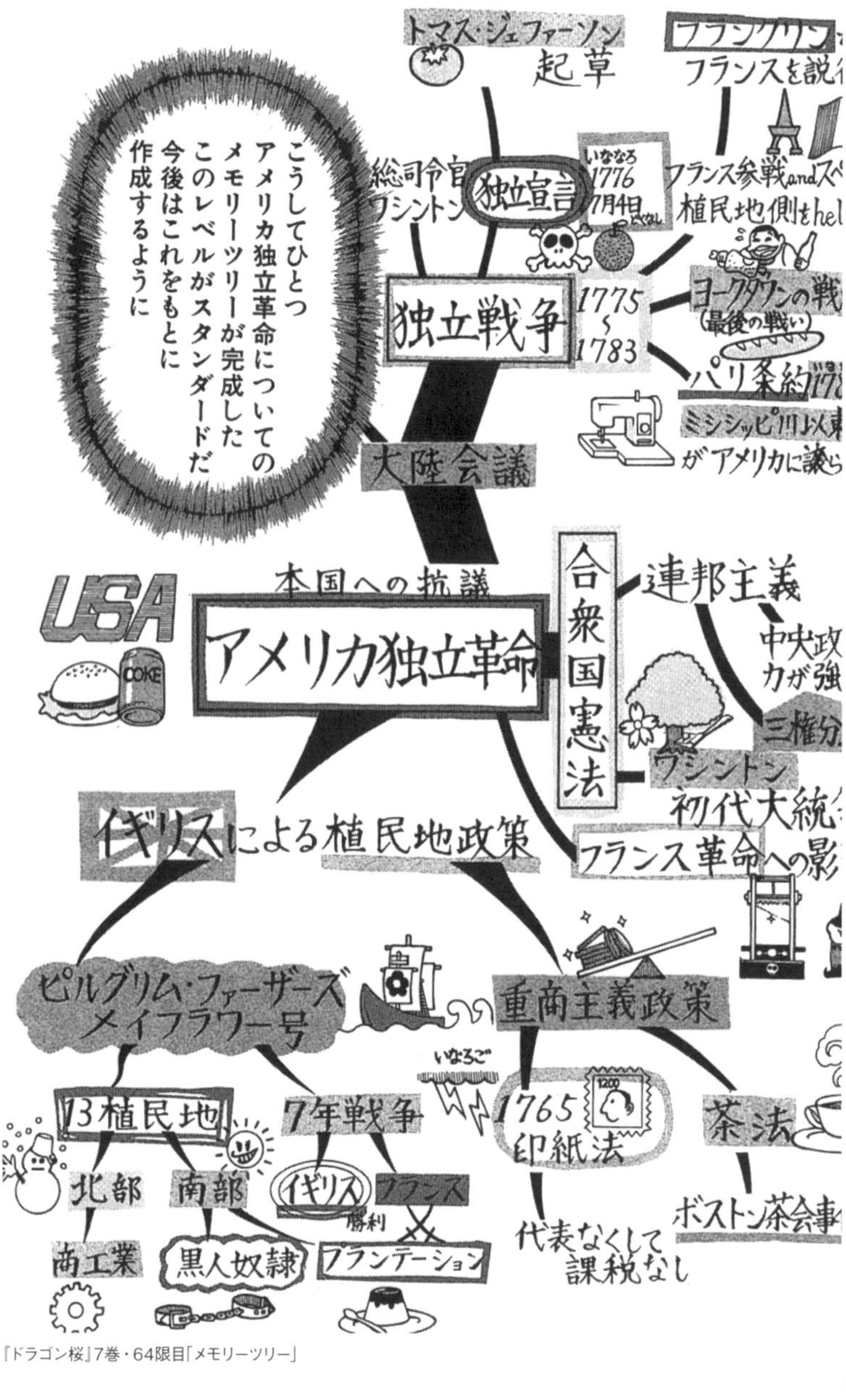

『ドラゴン桜』7巻・64限目「メモリーツリー」

記憶を線でつないでいき、つながりを理解するノートを書くことで、大枠で理解できるようになるということですね。

これをつくっておけば、**一度忘れても他の単語との関連で思い出す**ことができますし、また**新しい単語を覚えるときにも流れの中に組み込んで覚える**ことができます。

たとえば「term(ターム)」という英単語は、「期間」「専門用語」「関係」などの複数の意味を持つ言葉です。

しかしこれ、どこかで聞いたことありますよね? そう、ターミナル(terminal)です。駅前とか飛行場にあるターミナルを利用したことがあると思いますが、termとterminalの2つには、どんな関連性があるのでしょうか?

terminalは、始発でも終着でもなく、**「ここからここまで」と範囲を限定する場所**のことです。バスや飛行機の路線の範囲を限定するためのものとして、出発点であり終着点でもあることを指すのが「terminal」なのです。

そして実は、**termには「範囲の限定」という意味があります**。「時間を限定する=期間」「言葉の意味を限定する=専門用語」「『友達以上・恋人未満』のように人間関係を限定する=関係」と関連づけられます。

ですよね。「term」と「terminal」は、**「範囲の限定」という関係性でつなげることができる**わけです。

また、みなさんは『ターミネーター』という映画を観たことがありますか？　アーノルド・シュワルツェネッガー主演の、あの「ターミネーター」です。

観たことがある人もない人も、「ターミネーター」という単語がどういう意味なのか知っている人は少ないと思います。でも**この単語も、「term＝範囲の限定」ということから、推測できるはず**です。

ターミネーターというのは「すべてを終わらせる者」、歴史が始まっていまにいたるまでの範囲がある中で、**歴史に終止符を打つ者という意味で「ターミネーター」**なのです。

もともと「termination（ターミネーション）」という英単語があり、この意味が「終わり」です。この単語から派生した言葉が「ターミネーター」だというわけです。

こうやって考えていくと、termという1つの単語から、3つも4つもいろんなものを派生して覚えていくことができるようになるわけですね。ぜひ参考にしてみてください。

『ドラゴン桜』式 ノート術

もう1つのテクニックが、「テーマ別のまとめノート」をつくることです。これは、**共通点のあるものや、つながりのある事項でノートをつくってみる**という方法です。**新しいつながり・テーマを自分で見つけて、それを整理するノート**ですね。

僕は受験生のとき、「17世紀の出来事」「薩摩藩の歴史」など、時代や地域で切り分けてまとめノートをつくっていました。さらに**英文法と古文と漢文で「反語表現」をまとめるなど、科目や教わっていることに縛られずに「同じテーマ」でまとめ直すこ**とで、いろんな物事が忘れにくくなった記憶があります。

まとめノートのつくり方はとてもシンプルです。

①ルーズリーフを用意する

1枚で完結させたほうがいいので、ルーズリーフがベストです。

②ページのいちばん上にまとめ直すテーマを書く

「17世紀の世界」「uniのつく英単語」など、タイトル的なものを書いてみましょう。

③1つひとつの事柄を書く前に、一言でまとめる「要約」を書く

「17世紀はこういう時代」「uniがつく英単語はこういう特徴がある」ということを書いてみてください。これこそが「流れ」、大枠のイメージとなるわけですね。

④個別の事柄とその事柄同士のつながりを書く

「uniは1つという意味だから、こういう意味がある」と、要約とつながるように、かつ個別のものとして覚えやすい特徴を強調していきます。

こうすると、関連づけと強調がしっかりなされたノートをつくることができます。

「なぜ?」を使いながら、しっかりと記憶することを意識してみてください!

STEP 2 ポイント

記憶は「大枠のイメージ」「個別の特徴」の関連づけで定着する

「線でつなぐ」「テーマ別まとめノート」で関連を可視化する

STEP 3

文章は「最初」「最後」から読む

――『ドラゴン桜』式最強テクで「正しく、速く、大量に」読める

この「なぜ？」と問うテクニックは、「文章を読むとき」にも使えます。

東大生と話をしていて日々驚かされるのは、その読解力です。１日に何冊もの本や分厚い論文を読むことなんてザラで、テスト前になれば図書館で何十冊と本を読んでいる東大生を見かけることになります。

たくさんの知識を得て頭をよくするためには、本や文章を読むことはとても重要です。東大受験でも、本当にたくさんの参考書を読みながら勉強する必要があり、使う参考書が軽く１００冊は超えてしまったという東大生も多いです。

「読む力」と「地頭力」がいっきに身につく
東大読書

東大生は、超・実践的な読書術を自然と習得していました。偏差値35から東大に合格した著者が、その読書術のノウハウを凝縮して紹介した1冊です！
西岡壱誠著、東洋経済新報社

「本や文章をスピーディーかつ正確に読む能力」というのは、東大生に必須な能力だと言っていいのかもしれません。

「正しく、速く、大量に」読む力は後天的に身につく

でも、これって実は先天的な能力ではないんです。**後天的に、後から身につけることができる能力**なのです。事実、東大生も最初からこの能力が身についていたわけではなく、受験勉強の過程で習得している場合が多いです。

そして、この後天的な能力を身につけるためのテクニックもまた、**「なぜ？」が根幹にあります。**

まずは、「正しく読む」ということを『ドラゴン桜』の中で紹介しているシーンをご覧ください。

でもそれって当たり前ってカンジ
だから……そっから先なワケでしょ問題は……
読む
書く
なるほど……読む力が自分にはあると思っているわけですね
では……これを読んでみて下さい
これは…ある歌詞の一部です
SHE MISSES HIM
Words & Music by Tim Johnson
©TIM JOHNSON MUSIC PUBLISHING
Permission granted by EMI MUSIC Publishing Japan Ltd.
Authorized for sale only in Japan
JASRAC 出0413039-401
彼女は彼のひげを剃る
彼の髪を梳く
彼がいすを探すのも手助けするし，
彼のために料理をする。
彼の口をふいてあげるし，
外が見えるように窓も拭く。
彼のために本も読むし，
彼に呼びかける。
毎日がおなじくりかえし。
彼女は，深いため息をつく。
彼がいなくてさびしいから。
この詞から……二人の関係と現在の状況を答えてみなさい

え……こんなの簡単
なになに?
彼女は彼のひげを剃る
彼の髪を梳く
彼がいすを探すのも
のために料理をす
口をふいてあげ
見えるように窓
ひげを剃《そ》ったり料理したり……なんか幸せそうじゃん
いい彼女ね彼のために尽くして……
あ……でも終わりはさびしいってことだから
彼からあんまり愛されてないんじゃない?
だよ……彼には他に好きな女がいるんだよ失恋の歌だね
それが二人の答えでいいのかな?
ん……だいたいこんなカンジ……

残念ながら
全くの不正解
え……
なんで？
宮《みや》村《むら》先生……
前へ出てきて
これを解説して
下さいますか
は？
は……はい

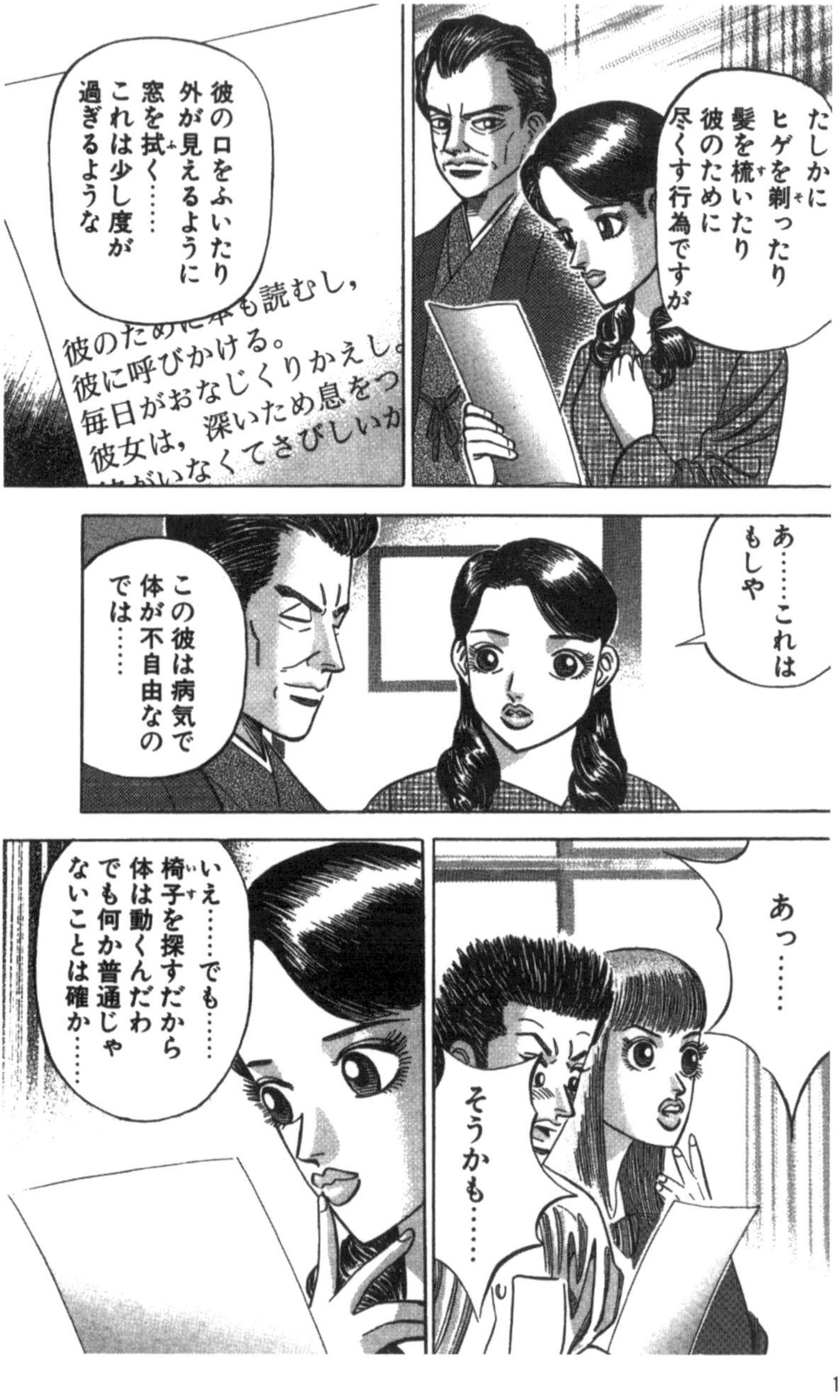
たしかにヒゲを剃《そ》ったり髪を梳《す》いたり彼のために尽くす行為ですが
彼の口をふいたり外が見えるように窓を拭《ふ》く……これは少し度が過ぎるような
本も読むし，
彼に呼びかける。
毎日がおなじくりかえし。
彼女は，深いため息をつ
いなくてさびしいか
あ……これはもしや
この彼は病気で体が不自由なのでは……
あっ……
そうかも……
いえ……でも……椅《い》子《す》を探すだから体は動くんだわでも何か普通じゃないことは確か……

そのとおり
そしてそれはどのような状態ですか？
はい……ええと「呼びかける」
「毎日がおなじくり返し深いため息彼がいなくてさびしい」
もしかすると彼は彼女のことさえも分からない状態かもしれませんだから毎日呼びかけるのかも
二人が愛し合ってた頃の彼とは違ってしまっているからさびしいんだと思います
体が少しは動くわけだから何か脳に障害が……
はっ……

アルツハイマー病とか……
あっ……そうか……
そうだよ！
何……もう全然わかってなかった……
宮村先生の説明のとおりです
以下は省略しましたがこのあとに孫が出てきますということは……

これは一組の老夫婦の日常を描いたもの
言葉を巧みに選んでいて介護の日々の切なさ哀《かな》しさが伝わってくる
しかし同時に妻のやさしさ夫への変わらぬ愛情も読み取れて
この歌詞は安らかで温かい
何が他に女がいてよ……
お前だって……
このように二人の読み方と宮村先生の読み方では内容の取り方が正反対になってしまう

「読む」ということは普段　無意識で行っているが実は意外と難しい
表面をサッとなでたような読み方では大変な間違いを犯すこともある
直接は書かれていない行間をしっかりと読み取る能力…〝読む力〟は重要です
これが身についていないと勉強が何も始まらない
そこで芥山式国語鍛練法
カッ
第一条は……

〝正しく読む〟ということです
正しく読む
正しく……
読む?

でも……
正しく読むって
言われても……
さっきの……
宮村先生みたいに
じっくり一行一行
噛《か》みしめながらってこと
いえ……
そのように
読んでいたのでは
時間がいくら
あっても
足りません
スラスラ
読みながら
なおかつ……
書いてある内容と
筆者の意図が
しっかり把握できる
これが正しい読み方
なのです

文章は「テーマが何かわかっていないと、正しく理解できない」という性質を持っています。そしてその「テーマ」を知るために必要なのが、「なぜ?」という問いです。

「テーマ」がわかれば正しく読める

これは、文章や本にかぎった話ではありません。たとえば**日常会話**の中でもよくある話です。

みなさんは、「最近、忙しそうじゃないか」と上司から言われたときに、「なぜ、自分はこの言葉を告げられたのだろうか?」と、**その言葉の裏を読もうと考える**のではないでしょうか。

「これはもしかして、いままで休みすぎだって言いたいのかな?」

「それとも、ミスが多くなっているから、もっと1つひとつの仕事をていねいにやれって言いたいのかも」

と、いろんな推測をするのではないでしょうか。

重要なのは「意図」を読むことです。

「相手が言いたいことを一言で言うと何か」がわかっていない状態では、どんなに文章を読んでも、相手の言葉を聞いても、その文章の本当の姿を理解することはできないのです。

逆に、これさえわかってしまえば、文章は一気に読み進めやすくなります。**速読することもできるように**なっていきます。

「あ、この上司は、最近ミスが多いことを怒っているんだな」とわかれば、「最近、忙しそうじゃないか」と言われてもその意図がわかり、次にどんな話をされるのか、だいたい想像がつくわけです。

「文章の意図」を探り、それを理解しようとすることで、文章全体が理解できるようになるわけです。

「意図」は最初と最後に現れる

「でも、それってどうすればわかるの？」と考える人がいるかもしれません。簡単です。**「意図が書かれやすい場所」「力を入れて読むべき場所」を理解しておけばいい**のです。

まず、**文章の最初と、文章の最後**です。実は**最初と最後を読めば、相手が言いたいことがだいたいわかる**場合が多いのです。

たとえば、「最近の若者に足りないものは何だろうか」から始まって「というわけで、最近の若者は勇気が足りないと思う」と最後が結ばれている文章があったとしましょう。

なぜ筆者がこの文章を書いたのか、何を言いたいのかは一目瞭然ですよね。明らかに、「最近の若者に足りていないのは勇気だ」という主張がしたいのだとわかります。

これがわかれば、文章もきっと「なぜ最近の若者に勇気が足りていないと言えるのか」「どうして勇気が足りなくなってしまったのか」が書かれているはずで、**どんな具体例が書かれていても、この主張を伝えるための例なのだと思って読む**ことができます。

これがわかって文を読むのとそうでないのとでは、まさに雲泥の差なのです。

なぜ最初と最後に「意図」が書かれるのかは、『ドラゴン桜2』で説明されています。

東大入試徹底解明
ドラゴン現代文

『ドラゴン桜』のメソッドで東大現代文を攻略する参考書です！「国語＝科学」ととらえ、どうすれば現代文の成績が上がるのかを解説した1冊です。
桜木建二・相生昌悟著、柳生好之監修、文英堂

大概の評論文は3つのパートで構成されています
序論
本論
結論
序論は「何が問題か」
序論→問題
本論→解決のための方法・具体例
結論→主張
本論は問題を解決するための方法や具体例 結論は問題に対する主張
つまり作者が言いたいことは序論と結論
序論
本論
結論
文章のはじめと終わりにキーワードとして強調されている！

『ドラゴン桜2』6巻・46限目「キーワードの見つけ方」

序論・本論・結論という文章の型の中で、序論と結論を読むことで文章の方向性がわかるということですね。**文章のスタートとゴールがわかっているわけですから、その道筋はだいたい想像がつく**というわけです。

同じように、**タイトルやサブタイトル、日次の章タイトル**などを先にじっくり読むのも有効です。「若者に足りないものは何か」というタイトルなのであれば、きっと若者に足りないものを考察して教えてくれる文章なんだろうと予想がつきます。その意図に注目して読んでいけば、文章の中身が自ずと見えてくるはずです。

読解は、非常に重要な能力です。相手の意図を理解するという意味では、本を読むだけではなく、相手の話を理解することにもつながります。ですからこれは、**勉強だけでなく、社会生活全般に使えるテクニック**だと言えるでしょう。

STEP 3 ポイント

文章の「意図」がわかれば、「正しく、速く、大量に」読める
意図は文章の「最初」と「最後」に現れる

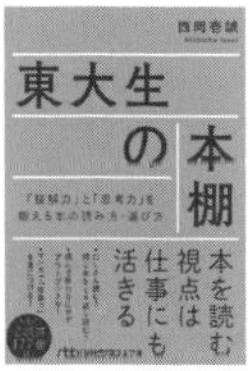

東大生の本棚
「読解力」と「思考力」を
鍛える本の読み方・選び方

東大生はどんな本棚を作っているのか？　東大生100人アンケートでわかった、勉強&仕事に役立つ読書習慣と、おすすめの本を紹介した1冊です!
西岡壱誠著、日本経済新聞出版

STEP 4

自分の意見を伝える

――「3つの『なぜ？』」で文章が劇的にうまくなる

最後は、**「自分の意見を伝える」**ための作文能力です。

文章を読むという行為は、**知識をインプットする行為**でした。

しかし、その知識も、**アウトプットしないと自分のものになりません。**誰かに説明できるように自分の中で整理して、**自分の意見として誰かにぶつけられるようになって初めて、自分の知識として定着する**のです。

ですから、頭がよくなるためには**「自分の意見としてアウトプットすること」**が求められます。

そしてこれにも、ここまでの話と同じく、**「なぜ？」と問いかける能力が必要にな**

ってきます。

ただし、いままでのものと1つ、大きく違うポイントがあります。それは、**「なぜ?」と問いかける対象は「自分」である、**ということです。

どういうことなのかを説明するために、1つみなさんにお聞きしたいことがあります。みなさんは、次の文は「意見」と言えると思いますか?

「日本の少子高齢化は大きな問題だと言える。これにきちんと対処しなければならない」

おそらくみなさんは「うーん、何か足りないな……」と感じたのではないでしょうか。**「意見」と呼ぶには何かが足りていない……**そんな印象を持った人が多いと思います。

でも実は、このように**「欠けた意見」のまま、意見として述べてしまう人が非常に多い**のです。

いったい何が足りないのか、『ドラゴン桜』ではこのように説明されています。

優先座席は必要ない。
たとえば，普通の座席に座っている時に，眼の前に老人や妊婦がいたとする。優先座席があったとしたら，多くの人はどうするか。席を譲らないと思う。一般席に座っている自分ではなく，優先座席にすわっている人が譲るべきだと考えてしまうのではないだろうか。もしも，優先座席がなければどうだろう？皆，自分がゆずらなければ，目の前にいる人は座れないと考えて，席を譲るだろう。優先座席がなければ，各個人がもっと責任を持つようになる。優先座席がなくても，誰もがみんな思いやりを持って譲り合う社会になるべきだと私は思う。

『ドラゴン桜』5巻・46限目「型を覚えろ!」

の座席に座っている時に
多くの人はどうするか。
座席にすわっている人が
席がなければどうだろう?
て、席を譲るだろう。優先
座席がなくても、誰もがみ
矢島君のもだいたいこれと同じですね
ああ
そんなに悪くないと思うけどなあ
社会のあり方として当然のこと書いたつもりだけど
では桜木《さくらぎ》先生……この文章の不充分であると思われる点を指摘していただけますか
そうだな……

この文章……
客観的じゃないな
客観的……
じゃない？
確かに優先席がなくて
誰もが自然に
譲り合うほうが
良い社会である
かもしれない
しかし現実は
そんな親切な人間
ばかりじゃない
その状況を踏まえて
対策をどうすべきか
書かなくては……

あ そっか
確かに……
この問題は優先席の是非を論議できるかどうかを調べるためのもので
道徳的主観を訊《き》いているのではない
水野の主張は理想論としては正しいが
客観性がないため説得力を欠き空想的な抽象論を一方的に語っただけだ

そこが第一の失敗の原因
しっかり意図を受け取らなければ正しい解答のボールを投げ返すことはできません
この問題は〝論ぜよ〟と結んである
説得力のある論を構築するために頭の中で一人で議論をするのです
議論とは主義主張の応酬《おうしゅう》自分の論理の正当性をいかに相手に認めさせるか…です

そして最後に
主張の優劣の
結着をつけることです
他人を
説得するためには
客観性が必要です
そうか……
自分だけが
思っても
ダメなんだ
では議論をどう
組み立てて
客観性を生み出すか
実際にやって
みましょう

まず
自分の意見を
述べる
それに
予想される
反論を述べる

その反論を否定して
自分の論理の
正当性を証明する
反論を
用意すると
客観的に
なりやすい
抽象的だったり
一般論すぎたり
しないように
自分の経験なども
述べて
具体的にするのも
重要です

いかがでしょうか？　**客観性がないと、意見ではない。**この考え方は非常に重要です。

つまり、**自分の意見に対して、「なぜその意見が正しいと言えるのか？」という客観的な問いをぶつけられていないものは意味がない、**という話です。

意見とは、自分の中で想定される質問、つまりは**「なぜ？」をしっかりと理解して、構築していく必要がある**のです。

逆に言えば、「なぜ？」とツッコまれるようなポイントがある意見は、どこかが欠けているから、他の人には「意見」だと思ってもらえない、つまりは自分の意図したとおりに相手に伝わらない……というわけです。

意見をつくるときに必要な「3つの『なぜ？』」

ではいったい、どんな「なぜ？」が必要なのでしょうか？

その答えを先に言ってしまうと、意見をつくるためには、次の**3つの質問に対する答えが必要**だと定義できます。

①**【客観性】なぜ正しいと言えるか?**

漫画でも述べられていた、客観性。意見の論拠となるような、事実・データがどこにあるのか、というポイント。

②**【具体性】何が問題だと考えているのか?**

具体的に、自分は何が問題だととらえているのか、どこが解決すべきポイントだと考えているのかを明確にする。

③**【解決策】正しいと仮定して、結局どうするべきなのか?**

もしその意見が正しいとして、解決策はどこにあるのか? 結局何をするべきなのか? という結論を明確にする。

この3つのツッコミに対する答えがきちんと入っているものは「意見」だと言えます。逆に意見とは思ってもらえない場合は、この要素の中のどれかが抜け落ちてしまっているのです。

たとえば、先ほどの「日本の少子高齢化は問題だ」は、次のように書いてあったら

「意見」と言えます。

「日本は諸外国と比べても高齢化率が大きく、それが日本の財政を圧迫している。高齢化率が高くなっている原因は、子どもを産み、育てやすい環境が整っておらず、多くの人が子どもを産むことに躊躇しているからだ。だから私は、これからの日本のことを考えると、もっと子どもを育てやすく、産みやすい国になるような施策が必要だと思う」

もともとの、「日本の少子高齢化は問題だ」というのは、ただ「問題」を述べているだけですよね。「これが問題だよ」と言われたとしても、「えっ、なんで?」「そう考えた論拠はどこにあるの?」「っていうか、だからどうしろっていうの?」など、たくさんの事柄でツッコまれてしまいます。

先ほどの漫画でも述べられていたとおり、これは「意見」ではないのです。

①の客観的な事実がないから**「本当にそうなの?」**と言われてしまいます。

②のなぜそれが問題だと言えるのか、どういうポイントが問題だと考えているのか

がないから、**「どうしてそう考えたの？」**とツッコまれてしまいます。

さらに③のどうするべきなのかが述べられていないから**「で、結局なんなのさ？ どうすればいいって話なの？」**とツッコまれてしまうのです。

逆に、先ほどの「意見」を細かく見てみると、

①日本は諸外国と比べても高齢化率が大きく、それが日本の財政を圧迫している（客観性）
②高齢化率が高くなっている原因は、子どもを産み、育てやすい環境が整っておらず、多くの人が子どもを産むことに躊躇しているからだ（具体性）
③もっと子どもを育てやすく、産みやすい国になるような施策が必要だと思う（解決策）

と、**意見に必要な3つの要素がすべて入っているから、意見として成立する**のです。

「伝える力」と「地頭力」がいっきに高まる
東大作文

東大入試は、すべてが記述式です。それに対応する東大生たちは、アウトプットとしての作文術が優れています。その彼ら彼女らの作文術を1冊で紹介しているのが、この本。ラクラク文章を書けるようになると評判です！
西岡壱誠著、東洋経済新報社

◎質問をつなげて深掘りする

まとめると、自分の意見を述べるには、**「客観的な事実」「それに付随する具体的な問題や自分の解釈」「相手への提案」**がないといけないわけですね。

作文するときにも同じです。文章をつくるときにも、相手からどうツッコまれるのかを予想しながら書いていくと、文章として成立します。

「私は、日本の教育は問題を抱えていると思っている」

これを「意見」にするためには、次のように質問をぶつけていくとうまくいきます。

②**【具体性】何が問題だと考えているのか？**

「いまの子どもたちは自己肯定感が低く、何かをやろうという気力が低くなっている」

①**【客観性】なぜ正しいと言えるか？　データや論拠はあるのか？**
「事実、ＯＥＣＤのデータによると、日本の子どもの自己肯定感は世界で54位と、低い数字になっている」

③**【解決策】正しいと仮定して、結局どうするべきなのか？**
「だから、日本の子どもたちの自己肯定感を上げるために、自己肯定感を下げている既存の評価システムを変えるべきだ」

このように**質問でつないでいくことで、うまく文章としてまとまっていく**のです。１つの文に対して「３つのツッコミ」を入れていくことで、相手に伝わる文章をつくることができるわけです。

ということで、「なぜ？」を起点とすることで、勉強への取り組み方・努力したときの効率など、さまざまなものの結果がぜんぜん変わっていきます。みなさんぜひ、頑張ってみてください！

STEP 4

ポイント

- 「自分の意見」というアウトプットが知識を定着させる
- 意見をつくるには「客観性」「具体性」「解決策」の3つのツッコミが必要

PART 4
「地頭」がよくなる習慣

机に向かわなくてOK!

「生きているだけ」で頭がよくなる4STEP

STEP 1

- 与えられた情報を鵜呑みにせず、つねに疑ってみる
- 日常生活でも「自ら問いをつくり、答えを探す」ことで頭がよくなっていく

STEP 2

- 記憶は「大枠のイメージ」「個別の特徴」の関連づけで定着する
- 「線でつなぐ」「テーマ別まとめノート」で関連を可視化する

STEP 3

- 文章の「意図」がわかれば、「正しく、速く、大量に」読める
- 意図は文章の「最初」と「最後」に現れる

STEP 4

- 「自分の意見」というアウトプットが知識を定着させる
- 意見をつくるには「客観性」「具体性」「解決策」の3つのツッコミが必要

PART 5

努力を続ける習慣

	好き	嫌い
得意	✓	✓
苦手	✓	✓

「強い心」なんてなくてOK！

「マインドセット」の整え方で努力を「効率的」に「継続」できる

STEP 1

使う「言葉」を変える

――「本当の実力」を発揮できる素地を整えよう

最後のPARTでは、あらゆる勉強の「土台」の2つめ、**効率的な努力を続けるための「マインドセット」**についてお話しします。

ちょっとした工夫をしたり、考え方を変えるだけで、人間は**より効率的な努力を継続できるようになります**。その方法を3つのSTEPでご紹介しましょう。

まず重要なのは、**「発言から変えていく」**というものです。

意外と陥りがち「メンタルブロック」の罠

最小の努力で最大の結果を出す人は「ダメだったときの言い訳になる言葉」を使いません。

みなさんは、テストなどの前に「昨日、ほとんど勉強していない」とか「昨日眠れなくて体調が悪いので、今回の試験は本調子じゃない」とか、そういうことを言う人に会ったことはありませんか。ちなみに僕はそういうことを言っていた側の人間でした。

これは、「メンタルブロック」または「セルフハンディキャッピング」と呼ばれる心理です。**これをしている人は、実は成績も上がらず、合格もできない可能性が高いのです。**

これを『ドラゴン桜2』の桜木先生が解説している漫画があるので、まずはそちらをご覧ください。

このままだとお前は
東大受験の
本番を迎えるまで
あと最低10回は
「東大受験をやめる」
と言うだろうな
10回も!?
これは
メンタルブロック
という心理だ
どうしてそう
言い切れるんですか
メンタル
ブロック?
なんですか
それ……

『ドラゴン桜2』11巻・84限目「メンタルブロック」

メンタルブロックとは思い込みで心の壁を作ってしまうこと
自分はダメな人間だ自分にはできない
こういう心理的壁を作って失敗した時の言い訳を用意して自分を守ろうとすることだ
早瀬《はやせ》が「東大受験をやめる」と簡単に言ってしまうのは
東大受験で不合格だった時に備えて事前に予防線を張るためだ

だからお前は
しょっちゅう
「ダメ」とか
「やめる」とか
口にするんだ
早瀬……
今のうちにやめないと
クセになるぞ
クセになると
一生
直らないぞ
自分はダメだと
言ってると
本当にダメな
人間になる
自分にはできないと
言ってると
本当にできなくなる

自分はバカだと言ってると本当にバカになるぞ

いかがでしょうか。**「自分はバカだ」という予防線を張っていると、本当にバカになる、**という話でした。

人は、「自分にはできない」とか、そういうネガティブなことを言ってしまいがちです。

僕も東大受験の前には、ずーっと「もうダメだ」と言っていました。それで少し謙虚になったつもりになって、**自分のことを客観的に見ることができているかのように錯覚していた**んです。

でも、それって実は、自分の心を守っているだけなんですよね。それはただの**「失敗したときの言い訳づくり」であって、言えば言うほど成功からは遠ざかっていく**のです。

言い訳が悪いとは言いませんが、でもうまくいかない理由を探して、「ここで失敗しても大丈夫」という状態に自分を置いてしまっては、成功の可能性は下がってしまいます。

そういう言い訳をしていると「自分はバカだから」と言って本当に勉強をしなくな

ったり、「体調が悪いから」と言って本当になんだか少し体調が悪い気分になってしまったりと、言葉が本当になってしまうこともあります。

このように、**メンタルブロックは百害あって一利なし**なのです。

ネガティブな発言をカウントする

ではどうすればいいのかというと、とても簡単です。とにかく**ネガティブなことを言わないようにすればいい**のです。

たとえばとある東大生は、東大に落ちて浪人しているときに、何度もマイナスなことを口に出していたそうです。**「もうダメだ、どうせ自分には無理だ、また自分は東大に落ちるんだ」**と。

これは別に意識的に言っていたわけではなく、自然とそういう言葉が出てしまうのだとか。

そのときに、その東大生のお母さんが、こんなことを言ったそうです。

「あんたがマイナスなことを言うたびに、お小遣いを100円減らします」

東大メンタル
「ドラゴン桜」に学ぶ
やりたくないことでも結果を出す技術

東大生から学ぶメンタル・テクニック。東大生になるためには、認知能力だけではなく、非認知能力の向上も不可欠です。そのメカニズムを、岡山大学の中山芳一先生とともに解説した1冊です。
西岡壱誠・中山芳一 著、日経BP

このシステムが導入されたことによって、**マイナスなことを言った回数をカウント**するようになりました。すると自然に、自分の発言を省みるようになりました。**「自分はこんなにマイナスなことを言っていたのか」**と反省し、徐々にマイナスな発言を止めることができるようになっていったのだそうです。

こんなふうに、**自分の発言をしっかりと可視化**して、反省して、メンタルブロックしないように意識していきましょう。

すると、言い訳せずに自分と向き合い、しっかりと逃げないで立ち向かうことができるようになります。**そうすることでやっと、本来の自分の力が出せる**わけです。

自分がメンタルブロックしているかどうかは、人から指摘されないとわからない場合があります。もしそういう傾向があるかもしれないと思ったら、**家族や友達に「メンタルブロックしていたら教えてくれ」と言っておく**といいと思います。

ポジティブな言葉が持つ力

さらに、**自分が好きな言葉やポジティブな言葉を、紙に書いて部屋に貼っておいたり、スマホのホーム画面に書いておく**のもおすすめです。

言霊、という考え方があります。言葉には力があって、その力は口にしてみたり書いてみたりすることで現実に影響を与える、というものです。

まずは自分の好きな言葉を調べてみましょう。どんなものでも大丈夫です。昔観た映画のワンシーンや、好きな人物の言葉、漫画のコマを思い浮かべてみてください。ちょっとしたフレーズで大丈夫です。

今回、いろんな東大生に聞いてみたのですが、いろんなものがありました。

たとえばある東大生は、映画『ファイト・クラブ』でブラッド・ピットが熱演していたイカれた思考をしているタイラー・ダーデンのセリフを挙げてくれました。「**いつか必ず死ぬってことを恐れず心にたたき込め！　すべてを失って真の自由を得る！**」というセリフに背中を押されて行動することがあるそうです。

ほかにも、ある漫画好きの東大生は、『鋼の錬金術師』の主人公の「**立って歩け、前**

へ進め」という言葉に心を動かされたと言っていました。

東大生からはさらに、次のような言葉が挙げられていました。

- **「自信がなくても信じてみる、迷ったらやってみる、不安だったら飛び込んでみる、怖かったら走ってみる」**（ドラマ『トップキャスター』より）
- **「人生とは、今日一日のことである」**（デール・カーネギー）

あまり思いつかないという人は、**格言を調べてみる**のもありだと思います。

昔からある格言というのは、「遠い昔の時代からいまにいたるまで通用する、根本的な法則」です。昔から信じられていて、現代まで語り継がれている非常に大切な考え方だからこそ、これらの言葉は勇気を与えてくれるのです。

STEP 1 ポイント

- **効率的な努力を継続するために「使う言葉」を変える**
- **ネガティブな発言を制限し、ポジティブな言葉に触れる機会を増やす**

STEP 2

演技をする

――「強者」のフリを続けて、本当に強くなろう

言葉もそうなのですが、**「自分の行動を変えていく」**というのもおすすめです。

多くの人は、「感情」が「行動」につながると考えていると思います。悲しいから涙が出るとか、怒ったからものに当たる、とか。

しかし、その逆もまたあるのです。心理学の世界ではもう常識的なことですが、人間というのは**「楽しい」から「笑顔になる」のではなく、「笑顔になる」から「楽しい」と感じる**という側面があるのだそうです。

たとえばセロハンテープで口角を引き上げた状態でコメディを観るのと、口角が上

がらないようにセロハンテープで固定された状態でコメディを観るのとでは、脳波にどのような違いが出るかを比較した実験があります。

この場合、同じコメディでも、なぜか口角が上がっていて笑顔の形になっているほうが、笑いを司る脳波が多く検出されたのだとか。人間は、**顔の形が笑顔なら、笑いの感情を持てる**のです。

ですから、**感情をコントロールし、マインドセットを整えるためには、「行動」から変えていくという方法が有効**なのです。

「強者のフリ」で自分を騙す

では、どんな行動を取ればいいのでしょうか。

大学受験や資格試験、あるいはプレゼンでもいいですが、本番が近づいてくると、緊張してしまうことって多いですよね。**普段はあまり緊張しないタイプだと思っていたけれど、当日になると雰囲気に呑まれてしまい、力をぜんぜん発揮できないほどに**

緊張してしまった、という人もいます。

僕たち「チームドラゴン桜」のリーダーである西岡壱誠さんも、3度目の東大受験の際、ものすごく緊張したそうです。あまりの緊張に、試験前にトイレで吐いてしまったのだとか。

人間、なんだかんだ、緊張して本来の力が出せなかったりすることは、とても多いのだと思います。

さて、そんな中で「結果を出す人」は、どんなふうにして緊張を緩和しているのでしょうか？

『ドラゴン桜』で、桜木先生が語っているシーンを見てみましょう。

失敗やミスを想定する代わりにそんなものは忘れ去るんだ
彼らは「自分ならできる」などと自らを鼓舞《こぶ》しない
むしろそうやって声に出して自分に言い聞かせるのは不安を打ち消そうと必死になっている証拠
おそらくお前たちは初日終了後試験本番中とは違う不安に襲われるだろう
6割で十分と思ってもその不安は消えず心から余裕がなくなるだろう
そんな時に平常心を取り戻すのに「強者の心理」を利用するではどうするのか…
簡単なこと「真の強者のフリ」をするんだ
フリをする？

『ドラゴン桜』20巻・178限目「真の強者」

応援部
勝った瞬間合格した瞬間を想像してみる
真の強者はその成功のときの喜びが具体的にイメージできているから心に余裕を持って堂々と振る舞える
その態度を真似《まね》るのね…
だからたとえシュートが…

外れても そんなミスは 忘れる
入ったものと 思い込む
その通り… 10本シュートして たとえ数本外しても 10本すべて入った フリをするんだ
入った もの…
本番に強いタイプ イコール 思考が単純と いうこと
「6割で十分」も 「10割全部」も 自分に都合よく 思い込むための 上手《うま》い思考法だ
その思い込みが 何を生むと思う? 矢島…
え…

開き直りだよ
開き直り…
勝負所で躊躇《ちゅうちょ》するヤツは勝てないし成功しない
勝負が懸《か》かった大事な場面で開き直れるか開き直れないか…
強者は思い込みで開き直れるが凡人に大切なのは開き直るために…
思い切れるか思い切れないか

結局　勝負は
思い切って
開き直った者が勝ち
成功する
スポーツでも
学問でも
ビジネスでも…
人生でも
…な

ということで、**「真の強者の心理」**という話でした。

多くの人は、強者ではありません。強くないから緊張するし、失敗するかもしれないと不安だから本来の力を発揮できない。

そういうときに重要なのは、**「強者のフリをすること」**。つまりは、**「自分を騙すこと」**です。強くなくても、強いフリをする。強くなった演技をして、平気なフリをするのです。

人は「演じている自分」になっていく

「え？　演技なんてしても何の意味もないんじゃないの？」

そう思うかもしれませんが、演技は案外バカにできません。先ほどの「行動が感情を左右する」の話でもあったとおり、**行動は人間の精神に影響を与えます。**

たとえばみなさんは、**スタンフォード監獄実験**というものを知っていますか？

これは、心理学の実験です。

実験参加者を募り、参加者を2つのグループに分けます。1つは看守側。もう1つは受刑者側。疑似的な刑務所をつくります。

この2つのグループに共同生活をさせ、看守側は看守の、受刑者側は受刑者の演技をしてもらいます。看守側は看守の服を着て、受刑者側はもちろん囚人服。さらに受刑者は実際にパトカーに乗せられ、刑務所に入れるところまでやりました。

その上で、2週間の共同生活をさせます。看守に命令させ、受刑者にはそれを聞き入れさせました。

さて、これはもちろん、ただの実験です。この2つのグループに、上下関係はありません。実際、始めてから1日は、どちらも困惑している様子だったそうです。

ですが、**実験を進めるにつれて、看守は看守のフリを、受刑者は受刑者のフリを、積極的にするようになっていった**のです。

看守は受刑者に無理な命令をしたり、横柄な態度を取ったり、時には暴力的な行為すら行うようになってしまったといいます。結局、2週間を予定していた実験は、6日間で打ち切りとなりました。

この実験には捏造の疑惑もあり、本当のところはわかりません。でも、この話が世界中で信じられてきたことは事実です。そこからわかるのは、やはり**「人は演じている自分になってしまう」**ということです。

「演技」は、成長をうながす「背伸び」だ

そもそも**人間は、背伸びをして、演技をして、自分を高めていく**ものです。

たとえば「大人」。本当はまだ精神的に子どもだったとしても、大人になったフリをして大人のような行動をしていくうちに、いつの間にか大人になっていく、ということもあるでしょう。

たとえば恋愛でも、相手が思う理想の恋人になろうとして、いつの間にか本当に理想の恋人になっていく、ということもあると思います。

できないと思っても、とにかく演技をして、そうなったフリをしてみれば、意外と物事が好転することもあるのです。

だからみなさん、**「優等生のフリ」「できる奴のフリ」**をしましょう。

自分は平気であるかのように振る舞って、そういう演技をしていれば、きっとうまくいきます。


もちろん、「フリ」でかまいません。

何か想定外なことが起こったり、間違ってしまっても、焦った顔をせず、冷静沈着なフリをして、問題に対処してみる。

試験で難しい問題が出ても顔色を変えず、もしできるなら笑顔をつくって、「解きごたえのある問題を出してきたな」と笑ってみる。

そんなふうに、**理想の自分を演じていけばいい**のです。**強くないからこそ、強いフリをしてみる**のです。


おすすめなのは、**想定外のことが起こったときのルーティンを決めておく**ことです。

たとえばピンチのときほど口角を上げてニヤッと笑ってみる。または胸に手を当てて深呼吸することを徹底する。

こうして、難しい局面でもできるちょっとした工夫を決めておくことで、ピンチにもうまく対処できるようになります。ぜひ実践してみてください！

STEP 2 ポイント

- **行動は人の心を変えていく**
- **「強者のフリ」を続けることで、自然と強くなっていける**

STEP 3

失敗を失敗と思わない

——失敗に埋まっている「成長のタネ」を掘り起こそう

最後は、**「失敗を失敗と思わない」**です。

突然ですが、みなさんは100点満点の試験で100点を取ったことはありますか？

僕はほとんどありません。1問ミスをしてしまって惜しくも100点を逃してしまったりして、満点なんてほぼ取れないですよね。

でもみなさんも、100点満点が取れたら、普通は喜ぶと思います。**「やった！100点だった！」「満点だった！　嬉しい！」**と。そして「次もいい点が取れるといいな」とウキウキで家に帰ることと思います。

ところがなんと、**東大生は逆**なのです。

100点満点を取ると、満点は満点で嬉しくないわけではないけれど、**逆に落ち込んだり、複雑な気持ちになってしまう**のだそうです。

なぜ東大生は満点を取っても喜ばないのでしょうか?

まずは『ドラゴン桜』で、桜木先生が模試を受けた後の生徒に対して講義をしているシーンを読んでみてください。

『ドラゴン桜』8巻・70限目「模試当日」

よ〜し！
それでいい
うん
これなら
安心だ
えっ
なんで？

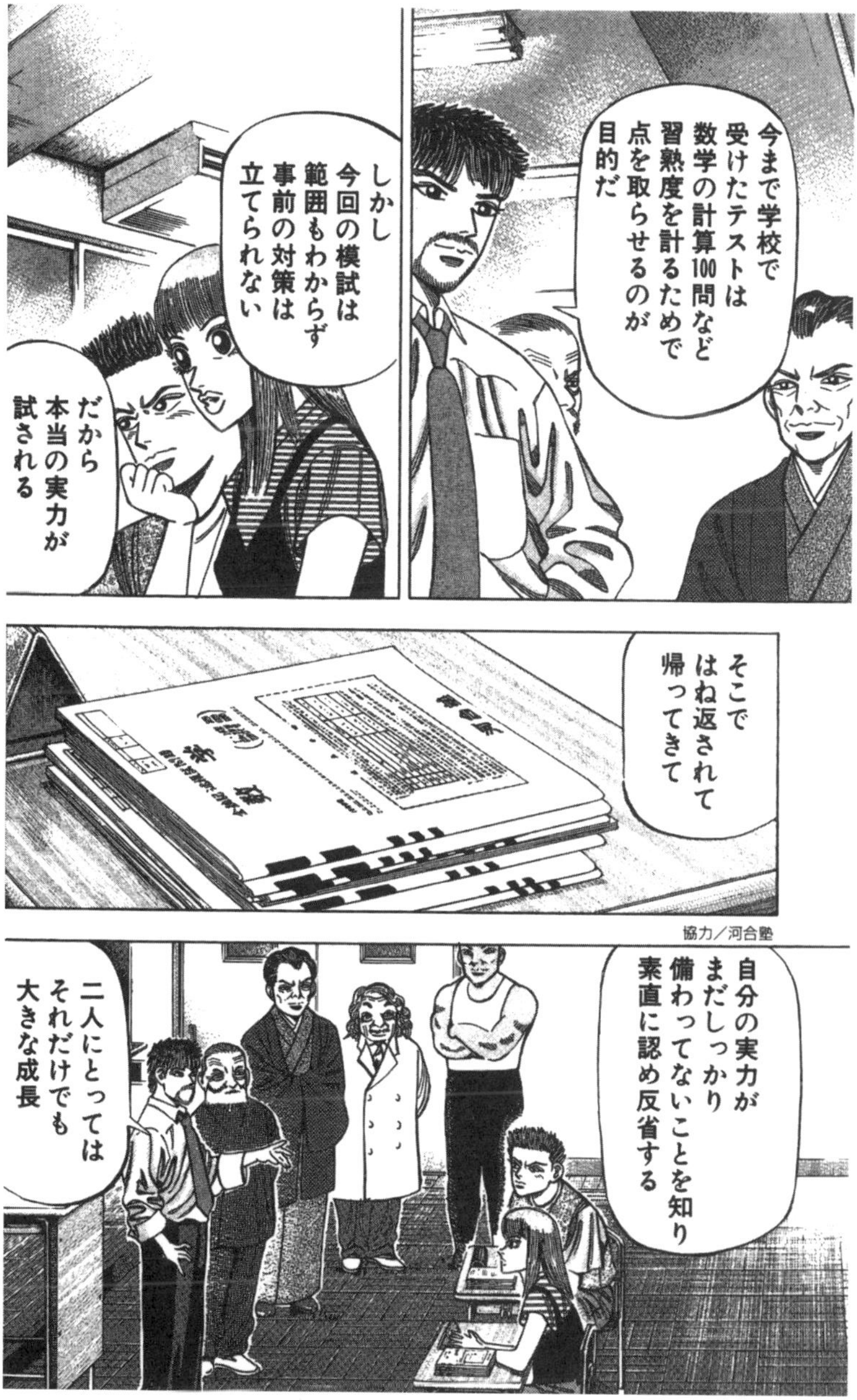
今まで学校で受けたテストは数学の計算100問など習熟度を計るためで点を取らせるのが目的だ
しかし今回の模試は範囲もわからず事前の対策は立てられない
だから本当の実力が試される
そこではね返されて帰ってきて
協力／河合塾
自分の実力がまだしっかり備わってないことを知り素直に認め反省する
二人にとってはそれだけでも大きな成長

『ドラゴン桜』8巻・71限目「E判定」

勉強を本気で
始める前までの
自分を思い出してみろ
テスト終わった後
できなかったことなど
気にもしなかっただろ
あっ
確かに…

ふーん…
じゃあ進歩してるって
少しはその気に
なってもいいのね
そうだ
そして実際
はっきりと前進
している証拠がある
それは二人は
「わからないところが
わかった」という
ことだ
実力が全くないと
できなかった
ところが
気にもならない
逆に生半可な実力だと
できたところにばかり
目が行ってある程度
できた気になってくる

模試を受けた後で落ち込んでいるのなら、いい受験生である証拠。逆に「よかった」と喜んでいるようでは意味がない、ということですね。

これは本当にそのとおりです。僕たちが生徒に勉強を教えているときでも、**模試を受けた後に落ち込んでいたり、「できなかったところがある」と質問してくれる生徒のほうが、成績が伸びます。**

では逆に、満点だったらどういう反応をするのか？　それは、**「ああ、このテストを受けても意味がなかったんだ」と、時間をムダにしたことを嘆く**のです。

模試や試験というのは、**自分のできないところを知るための手段**です。ということは、1問も間違えなかった満点のテストは、ただの1つも弱点を発見できなかったということであり、**試験に費やした時間がムダになった**ということにしかならないのです。

東大生は、むしろ満点が取れたら「次は受けたくない」と、そのテスト自体を避ける傾向があります。

極論を言ってしまえば、東大生は100点満点より0点を取ったときのほうが喜ぶのです。0点ということは、100点分の伸びしろがあるということであり、その分の弱点が発見できたことになりますから、いいこと尽くめなのです。

勝ち負けにこだわる

東大生は模試にかぎらず、さまざまな物事に対して負けず嫌いで、向上心が強いです。

「負けず嫌い」は、とにかく東大生の最大の特徴だと言えるでしょう。

「精神的に向上心のないものは馬鹿だ」とは、東大の前身となる帝国大学の卒業生である夏目漱石が『こころ』の中で描いたセリフですが、まさにこの言葉どおり。東大生のいちばんスゴいところは、その「負けず嫌いさ」だと言ってもいいかもしれません。

大学内のテストで点数を気にするとか、入試のときの点数を話すとか、そういう学

**東大生が教える
13歳からの学部選び**

大学の学部で、東大生たちがどんな研究をしているのか？　偏差値で大学を選ぶのではなく、やりたいことで学部を選んだ総勢33人の現役東大生たちのリアルな大学の学びをお伝えする書籍です。
東大カルペ・ディエム著、西岡壱誠監修、星海社

力面においてはもちろん「負けず嫌い」です。

でもそれだけでなく、**学内のスポーツ大会とか部活とか文化祭とか、勉強以外のちょっとした行事でも本気で勝負する**傾向があります。

「頭いいんだから、別に勉強以外のところでそんなに熱くなることないんじゃない？」と思うかもしれませんが、スポーツだろうがなんだろうが、彼ら彼女らは負けると本気で悔しがります。

こんな話もあります。東大合格者の多い開成高校や麻布高校などの超有名進学校はどこも運動会が盛んで、受験を控えた高校3年生も本気で取り組み、本気で喜んだり本気で泣いたりすることが恒例なのだとか。

そうした高校の先生曰く、「**本気で勝ち負けにこだわっている高校3年生ほど、受験で東大をはじめとする名門大学に合格できる場合が多い**」のだそうです。

別に彼ら彼女らは、勝つのが好きなのではありません。**勝負が自己の成長につながるから、本気で挑んでいる**にすぎないのです。

だから先ほどの100点満点の試験と同じで、別にスポーツで圧勝しても楽しいとは感じません。勝つか負けるかわからないギリギリの勝負が好きなのです。

「勝負を投げ出さない」「勝てるならば勝つ」

そして、**負けたらきちんと悔しがって、失敗したとしても投げ出さずに、その失敗と向き合う。**そういう人が、成功するのです。

失敗こそ成長のタネ

少し違う切り口の話をしましょう。

僕たち「チームドラゴン桜」は、偏差値が低いところからの受験を支援していて、いろんな生徒を見ています。その中には合格できる生徒もいますし、惜しくも不合格になってしまう生徒もいます。

でも**みんな一様に、「成長」しているんですよね。**1年ちょっとで、顔つきが変わっているし、大人になっているんです。

彼ら彼女らを見て、ちょっと話しただけで、**「半年前の〇〇くんとはぜんぜん違うね」**と感じる人も多いです。それくらい、**受験って成長をうながすものだ**と思うんです。

もっと言えば、**合格した人より、不合格になった人のほうが、人間的に成長できる**こともあります。

合格した人は、受験の道のりを「うまくいったもの」としか感じられません。「結果的にうまくいったのだから、すべての選択・努力が正しかったんだ」と感じることでしょう。

しかし、不合格になった人は、受験の道のりを振り返って**「何がいけなかったのか」「あのとき、どうしていればよかったのか」**を徹底的に考えます。後悔して、どうすればよかったのか、合格した人の何百倍も考えます。

だからこそ、**受験の振り返りの質は、合格した人より不合格になった人のほうが圧倒的に高い**のです。もしかしたら、**受験を通して人間的に成長するのは、合格した人よりも不合格になった人かもしれない**のです。

受験をゲームと見たら、合格は「ゲームクリア＝ゲーム成功」で、不合格は「ゲームオーバー＝ゲーム失敗」かもしれません。

でも、同時に**「ゲームセット＝ゲーム完了」**でもあるのです。最後まで頑張ったのであれば、それはゲームを最後の最後まで懸命に戦ったということ。その分、**最後まで成長することができた**わけです。そう考えると、やはり「失敗」では決してないのです。

何が言いたいかというと、**失敗を「失敗」だととらえないでほしい**ということです。何もかも、自分の次の糧になる、自分の成長のタネなのです。

STEP 3 ポイント

人は真剣に勝負することで成長する
失敗、敗北にこそ成長のタネが埋まっている

「強い心」なんてなくてOK!

努力を「効率的」に「継続」できる3STEP

STEP 1

- 効率的な努力を継続するために「使う言葉」を変える
- ネガティブな発言を制限し、ポジティブな言葉に触れる機会を増やす

STEP 2

- 行動は人の心を変えていく
- 「強者のフリ」を続けることで、自然と強くなっていける

STEP 3

- 人は真剣に勝負することで成長する
- 失敗、敗北にこそ成長のタネが埋まっている

おわりに

「努力は報われる」の本当の意味

ここまで読んでいただいて、みなさん本当にありがとうございます。
いかがでしたか？　**「勉強以前にやっていること」**について、ご理解いただき、自分の血肉にしていただけたなら、チームドラゴン桜一同、本当にうれしいです。

さて、最後にみなさんにお話ししたいことが1つあります。
それは、**「努力は報われる」**ということについてです。
「努力は報われる」って言葉、よく聞きますよね。
「努力すればかならず、なんらかの形で報われる」という意味で使われている言葉ですが、この言葉って、かなり**賛否両論な言葉**でもあります。

たとえば、「頑張って何かを達成しようとすること自体に大きな意味がある。短期的に成功しなくても、長期的な視野で見れば努力は報われる」と考える人もいるでしょう。その反対で、「そんなことはない。がむしゃらに努力したって結果にはつながらない」と考える人もいると思います。

「やらないで後悔するより、やって後悔したほうがいい」なんてこともよく言いますが、実際には「やってしまった後悔」だってあります。頑張っても報われないことがあるのなら、はじめから、やらないほうがいいんじゃないかと思ってしまうこともあると思います。

その気持ちはよくわかります。自分の努力が報われなかったらどうしよう——そう考えてしまうのは、ある意味で当然のことです。

でも、いちばんいいのは、**「やって後悔しないこと」**です。

僕たちチームドラゴン桜は、「努力は報われる」についてこんなふうに結論づけています。

「努力は報われる」という言葉は、説明が足りない、と。

たしかに、努力は報われます。しかしこの**「努力」という言葉はすごくくせ者**で、ガムシャラでなんの意味もない努力は、努力ではありません。**「しっかりと目的を明確化した正しい方向性の努力は、報われる」**ということなら、正しいと言えると思います。

逆に、正しくない努力をしていては、いつまでたっても努力は報われず、目的は達成できません。

正しくない努力は、ただの苦労です。苦労をいくら積み重ねても、どこにも到達できません。努力が苦労になってしまわないように、しっかり**正しい方向性の努力をし**なければならないのです。

そしてその、「正しい方向性の努力」は、勉強をやっている最中にはわかりません。しっかりと準備をして、**何をどう勉強するか、どう勉強すれば結果が出るかを、勉強の前にしっかりと考えなければ、途端に努力には意味がなくなってしまう**わけです。

『ドラゴン桜』の中で、桜木先生は**「勉強とは合理性と効率　つまり脳と身体のメカニズムを相乗した科学的トレーニングだ！」**と言っています（『ドラゴン桜』1巻・9限目「スパルタ合宿」）。まさに**「合理的に」「効率的に」**努力することが求められるのです。

みなさんが「正しい方向性の努力」ができるように、逆に「報われない努力」をしなくてもすむようになってもらいたい。そんな思いで、この本を書きました。


みなさん。

かならず、努力は報われます。

自分に足りていないところや自分が到達したいと思っている地点をしっかりと把握して、**合理的で効率的な努力をしていれば、それが報われないわけがない**のです。

だからみなさん、「やって後悔したらどうしよう」なんて考えないでください。

正しい努力なら、かならず報われます。**「やって後悔しない」**はずです。この本で得た知識を使って、正しい方向性の努力ができたのなら、かならず。


そう思って、もう一歩踏み出してもらえればと思います。

2023年6月

チームドラゴン桜一同

チームドラゴン桜

逆転合格した「リアルドラゴン桜」東大生と、「リアルドラゴン桜」を指導した経験のある講師の集団。多くの「逆転合格」をした現役東大生が集うとともに、大手予備校で30年以上指導してきた経験のある講師をはじめ、ベテラン講師も参加している。

全国複数の学校でワークショップや講演会を実施。年間1000人以上の生徒に学習指導しており、多くの「リアルドラゴン桜」を輩出している。

2023年にはMBSテレビ『月曜の蛙、大海を知る。』の企画で、「シングルマザーで子どもを3人育てながらタレント活動をする小倉優子さんが、大学合格を目指す」というプロジェクトを総監修。偏差値30台から見事、学習院女子大学補欠合格、白百合女子大学合格を勝ち取った。

本書を執筆した「チームドラゴン桜」メンバー

西岡壱誠（にしおか いっせい）

現役東大生、「チームドラゴン桜」リーダー、株式会社カルペ・ディエム代表
1996年生まれ。偏差値35から東大を目指すも、現役・1浪と、2年連続で不合格。崖っぷちの状況で開発した「独学術」で偏差値70、東大模試で全国4位になり、東大合格を果たす。
そのノウハウを全国の学生や学校の教師たちに伝えるため、2020年に株式会社カルペ・ディエムを設立。全国の高校で高校生に思考法・勉強法を教えているほか、教師には指導法のコンサルティングを行っている。また、YouTubeチャンネル「スマホ学園」を運営、約1万人の登録者に勉強の楽しさを伝えている。
著書多数。『東大読書』『東大作文』『東大思考』『東大独学』（いずれも東洋経済新報社）はシリーズ累計40万部のベストセラーになった。

布施川天馬（ふせがわ てんま）

現役東大生
1997年生まれ。世帯年収300万円台の家庭に生まれ、幼少期から貧しい生活を余儀なくされる。金銭的、地理的な事情から、無理なく進学可能な東大進学を志すようになる。

高校3年生まで部活動や生徒会長としての活動をこなすが、自主学習の習慣をほぼつけないままに受験生となってしまう。予備校に通うだけの金銭的余裕がなかったため、オリジナルの「お金も時間も節約する勉強法」を編み出し、1浪の末、東大合格を果たす。

現在は、自身の勉強法を全国に広めるための「リアルドラゴン桜プロジェクト」を推進。また、全国の子どもたちを対象に、無料で勉強を教えるYouTubeチャンネル「スマホ学園」にて授業を行う。

著書に『東大式時間術』『東大式節約勉強法　世帯年収300万円台で東大に合格できた理由』（ともに扶桑社）、『人生を切りひらく　最高の自宅勉強法』（主婦と生活社）がある。

黒田将臣（くろだ まさおみ）

現役東大生
東大合格者0人の高校で、入学当初は下から数えたほうが早い順位だったが、東大受験に合格するためのテクニックをハックし、2浪して東大に合格した。いまだに努力神話の建前が根強い一方で、進学校や予備校などの高額な教育産業が受験ノウハウを独占している受験の世界を変えるため、カルペ・ディエムに所属して、自分で受験のゴールを設定し、自力で東大合格できる受験生を1人でも増やすために活動している。
著書に『ビジネスとしての東大受験　億を稼ぐ悪の受験ハック』（星海社）がある。

相生昌悟（あいおい しょうご）

現役東大生
2000年生まれ。地方公立高校出身。高校入学当初から勉学に励み続けるも、思うような結果に結びつかず、努力の仕方を考え始める。最終的に、努力を必ず目標達成に導く「目標達成思考」を確立し、高校3年時に東大模試で全国1位を獲得。その後、東京大学に現役合格。
現在は自身の経験を全国の教師や学生に伝えるべく、「リアルドラゴン桜プロジェクト」で高校生にコーチングを行っている。
著書に『東大式 目標達成思考　「努力がすべて」という思い込みを捨て、「目標必達」をかなえる手帳術』（日本能率協会マネジメントセンター）、『東大入試徹底解明　ドラゴン現代文』（共著、文英堂）がある。

永田耕作（ながた こうさく）

現役東大生
公立高校から学習塾に入らずに現役で東京大学理科一類に合格。東京大学の進学振り分けシステムにおいて文系へと転向し、現在は東京大学教育学部に所属。同時にカルペ・ディエムに所属し、さまざまな学校の高校生に「勉強との向き合い方」や「努力の大切さ」を伝える講演活動を実施している。自分自身のこれまでの経験や、大学で学んでいる教育論を整理しつつ、中学生・高校生とも触れ合いながら自分自身の考えを洗練させている。
著書に『東大生の考え型　「まとまらない考え」に道筋が見える』（日本能率協会マネジメントセンター）がある。

松島かれん（まつしま かれん）

現役東大生
高校生のころ自分に自信がないことをとても悩んでいた。何かを頑張って、自分を信じられるような人間になりたい、との想いから東大受験を決意。しかし、高校1年生で受けた模試では、数学の問題別偏差値で39を取り、国語の解答用紙の使い方もわからず、東大が目指せるような成績ではなかった。

そんなときに出会ったのが「手帳」である。合格までの日々を逆算して、模試や時期ごとの目標を立てられるだけでなく、日々の自分をコントロールできると気づいた。夢を叶えるために必要な「時間・体力・気力」を手帳によってコントロールできるようになったのである。加えて、手帳を書き始めてから、自然と前向きに勉強を頑張れるようになっていた。

その結果もあって、内部進学者がほとんどの高校から学年1人、東大に現役合格を果たす。

著書に『無理せず自然に成績が上がる勉強のトリセツ　東大生の合格手帳術』（日本能率協会マネジメントセンター）がある。

濱井正吾（はまい しょうご）

教育系ライター
兵庫県出身、1990年11月11日生まれ。「9浪はまい」のニックネームでTwitterやYouTube、テレビ出演などを行っている。

大阪産業大学経済学部経済学科に入学後、龍谷大学経済学部現代経済学科に編入学し、卒業。高校時代にいじめを受けたことから、社会的に偉くなっていじめっ子を見返したいと思い、在学中から仮面浪人として受験勉強を4年間続ける。大学卒業後、証券会社に契約社員として就職したが10日で自主退職、同月中に配置薬会社に再就職。昼は会社、夜は予備校という生活に。

同社退職後は受験勉強に専念し、9浪で早稲田大学に一般受験で合格し、2018年に教育学部国語国文学科入学、2022年卒業。現在はカルペ・ディエム所属。

著書に『浪人回避大全　「志望校に落ちない受験生」になるためにやってはいけないこと』（日本能率協会マネジメントセンター）がある。

青戸一之（あおと かずゆき）

東大卒講師
1983年生まれ。鳥取県出身。地元の進学校の高校を卒業後、フリーター生活を経て25歳で塾講師に転身。26歳から塾の教室長としてマネジメント業務を行う傍ら、学習指導にも携わる。
29歳のときに入塾してきた東大志望の生徒を不合格にしてしまったことで、自身の学力不足と、大学受験経験の欠如を痛感する。どんな志望校の生徒でも指導できるように、まずは自分が最難関である東大に受かるだけの力をつけようと思い、30歳で東大受験を決意。塾講師の仕事をしながら1日3時間の勉強を続け、33歳で合格。
在学中も学習指導の仕事に携わり、現在は卒業してキャリア15年目のプロ家庭教師、塾講師。東大在学時の所属は文学部英文科。

【著者紹介】
チームドラゴン桜
逆転合格した「リアルドラゴン桜」東大生と、「リアルドラゴン桜」を指導した経験のある講師の集団。多くの「逆転合格」をした現役東大生が集うとともに、大手予備校で30年以上指導してきた経験のある講師をはじめ、ベテラン講師も参加している。全国複数の学校でワークショップや講演会を実施。年間1000人以上の生徒に学習指導しており、多くの「リアルドラゴン桜」を輩出している。
2023年にはMBSテレビ『月曜の蛙、大海を知る。』の企画で、「シングルマザーで子どもを3人育てながらタレント活動をする小倉優子さんが、大学合格を目指す」というプロジェクトを総監修。偏差値30台から見事、学習院女子大学補欠合格、白百合女子大学合格を勝ち取った。

なぜか結果を出す人が勉強以前にやっていること

2023年 8月1日 第1刷発行
2024年 7月2日 第6刷発行

著　者——チームドラゴン桜
漫　画——三田紀房（『ドラゴン桜』『ドラゴン桜 2』『インベスターＺ』）
企画・編集協力——コルク
（佐渡島庸平、中村元、岡本真帆、有森愛、井上皓介）
発行者——田北浩章
発行所——東洋経済新報社
〒103-8345　東京都中央区日本橋本石町 1-2-1
電話＝東洋経済コールセンター 03(6386)1040
https://toyokeizai.net/

ブックデザイン……成宮成（dig）
ＤＴＰ……………キャップス
印刷・製本………TOPPANクロレ
編集担当…………桑原哲也

ISBN 978-4-492-04737-8